For Mark Lilla
in friendship.
Michael Rutschky
4/1/04

Michael Rutschky

Wie wir Amerikaner wurden

Michael Rutschky

Wie wir Amerikaner wurden

Eine deutsche Entwicklungsgeschichte

Ullstein

»Wir waren damals, so sagte er, ungefähr vierhundert, die wir zugleich Ellis Island betraten. Sie wissen, daß das die kleine Insel vor New York ist, auf der die Einwanderungsbehörden sitzen. Vierhundert, das ist eine hübsche Menge, wenn Sie die so auf einmal beieinander sehen. Alle vom selben Schiff. Jetzt sahen wir erst, wie viele wir gewesen waren, die wir da im Zwischendeck gesessen hatten. Das war nun also Amerika. Es war März. Es regnete, und ehe wir alle in dem großen Schuppen unter Dach gekommen waren, waren wir bis auf die Haut durchnäßt. Wir hatten eine stürmische Überfahrt gehabt, und manche von uns waren vom ersten bis zum letzten Tag seekrank gewesen und konnten sich vor Schwäche und Erschöpfung kaum auf den Beinen halten. So hockten wir uns denn in der Dämmerung in der Mitte des großen Raumes eng zusammen. Männer, Frauen, kleine Kinder, heute scheint mir, als wären besonders viele kleine Kinder damals unter uns gewesen; wir hockten also beisammen, als ob wir uns aneinander wärmen wollten, und dann kam die Nacht. Nein, wissen Sie, diese erste Nacht damals in Amerika war eine schlimme Nacht. Kalt, düster, wir waren naß bis auf die Haut und froren und waren sehr hoffnungslos.«

Ernst Schnabel: *Die Auswanderer*, 1944

»Wir haben uns mit einem amerikanischen Sanitätsfeldwebel angefreundet. Andy, so heißt er, bemuttert und beonkelt uns, als kenne er uns seit eh und je. Wenn er, allabendlich nach Dienstschluß, aufs Haus zuschlendert, an die Fensterscheibe klopft und lächelnd in die Bauernstube tritt, ist ihm und uns, als komme er heim. Bevor er sich's am Tisch gemütlich macht, kramt er aus, was er mitgebracht hat: Kaffee, Zigaretten, Schokolade, Zahnpasta, illustrierte Zeitschriften und, im Feldpostformat, Romane, Kurzgeschichten und sonstige Lektüre. Dabei freut er sich so zurückhaltend wie möglich. Wir freuen uns viel ungenierter.«

Erich Kästner: *Notabene 45. Ein Tagebuch*

Inhalt

Am Anfang

Am Anfang war das Ende. »Das Reich«, wie seine Bewohner zu sagen pflegten, das sich die ganze Welt zum Feind gemacht hatte, ging unter, und von dem resultierenden Gelände blieb lange Zeit unklar, wie es überhaupt hieß.

Auch deshalb unklar, weil zwei Teile überlebten, für die sich nach einiger Zeit Namenskürzel einbürgerten, BRD und DDR. Von ersterer wird hier vor allem gesprochen, dem westlichen Teil des Geländes, und das unter einem besonderen Aspekt: Wie sich die BRD, ohne es richtig zu merken, als Kolonie entwickelte – zu einer blühenden Landschaft –, als Kolonie einer der vier Siegermächte, die das verfluchte Reich zerschlagen hatten, der größten und mächtigsten, der USA.

Am Anfang machten sie sich tatsächlich als Besatzungsmacht präsent, Soldaten mit Kriegsgerät, Haupt- und Nebenquartiere, Hoheitsrechte – aber darüber gingen sie den Einheimischen so ins Blut, daß die sich im Lauf der Jahre selbst als Amerikaner fühlten. Keine juristischen natürlich – wie man im römischen Imperium auch als Grieche oder Jude römischer Bürger sein konnte, civis Romanus sum –, sondern als imaginäre Amerikaner, ein unmerklicher, gleich einsetzender Prozeß, den viele Bewohner des westlichen Geländes an sich selbst beobachten können.

Am Anfang war hier vielleicht das Gedicht. Das Gedicht als eine Art Sound, wie man damals keinesfalls gesagt hätte, herzlich, überschwenglich, arglos. Zugleich romantisch, von zielloser Sehnsucht durchdrungen; und optimistisch, also erfolgsgewiß. Der Band, in dem wir lesen, erschien 1947 in einem längst vergessenen bayerischen Verlag, »Published under Military Government Information Control/License No. US E – 151«, also mit einer Lizenz der Militärregierung, ohne die damals in Deutschland nichts veröffentlicht werden konnte.

> Ausgehend von Paumanok – geformt wie ein Fisch – wo ich geboren,/Wohlerzeugt und von einer trefflichen Mutter erzogen,/Habe ich viele Länder durchstreift, ein Liebhaber volkreichen Pflasters,/Bewohner Manahattas, meiner Stadt, oder südlicher Savannen,/Oder als Soldat im Biwak, oder mit Gewehr und Tornister, oder als Bergmann in Kalifornien,/Oder in meiner einfachen Hütte in Dakotas Wäldern, Fleisch meine Speise, mein Trank aus der Quelle,/Oder in Einsamkeit, um zu träumen und zu sinnen in einem versteckten Winkel,/Ruhte ich fern vom Tumult der Menge, entrückt und glücklich,/Schaute den frischen, freien Spender, den strömenden Missouri, schaute den mächtigen Niagara,/Schaute die Büffelherden, die auf den Ebenen grasen, den zottigen, starkbrüstigen Bullen,/Erde, Felsen, innig erlebte Blumen des Mai, Sterne, Regen, Schnee, immer von neuem erstaunt,/Bekannt mit den Tönen des Spottvogels und dem Flug des Berg-

falken,/Und hörte bei Morgengrauen die Unvergleichliche, die Einsiedlerdrossel in den Sumpfzedern,/Einsam, singend im Westen, spiele ich auf für eine neue Welt.

Begonnen 1855, wuchs das Buch bis 1892, der neunten Auflage immer mehr an und entwickelte sich zu einer Art Nationalgedicht, herzlich, überschwenglich, arglos; gleichzeitig romantisch und optimistisch. (Aber starke poetische Ansprüche, unterbricht der Literaturfreund und Amerikafeind, stellt die Sprache ja nicht, gemessen an deutschen, an europäischen Standards für Gedichte ...)

1947 gehörte der Auswahlband zu den kulturellen Geschenken, mit denen die amerikanische Besatzungsmacht – so verfuhren auch die Engländer, die Franzosen und die Sowjets in ihren Zonen – die Deutschen aus ihrer selbstverschuldeten Finsternis zu locken versuchten, in die sie, ihrem eigenen Nationalgedicht, dem düsteren und blutigen Nibelungenlied folgend, so verbissen hineinmarschiert waren.

Es sind die ländlichen USA, vor der Großindustrialisierung, die jener Dichter besingt, die südlichen Savannen und die Wälder Dakotas, die Flüsse Missouri und Niagara, die Büffelherden, die Spottdrossel, die Sumpfzedern. (Und die Büffelherden, unterbricht der Amerikafeind, haben sie dann ja gleich ausgerottet.) Der einzige Städtename ist derjenige Manhattans, New Yorks, zu dessen Bürgern sich der Dichter Walt Whitman so enthusiastisch zählte. Er ist auf Long Island geboren, in Brooklyn aufgewachsen und ist einer der legendären Selfmademen, die

Paris, auf dem Flughafen. Ein exquisiter Schauplatz für unsere Geschichte, um ihre Macht zu entfalten. Denn wir befinden uns weder hier noch dort; das Wissen, daß die Zukunft ungefähr so ausschaut wie die Vergangenheit – ein Wissen, das dich zu Hause unauffällig leitet – hier geht es verloren. Ausschließlich Zukunft breitet sich aus, so weit wie der Atlantik, dessen Überquerung wir gleich in Angriff nehmen (es versteht sich, daß der Schimmer des Imaginären weit blasser ausfällt, wenn der Weiterflug bloß bis Marseille oder auch Barcelona führt).

Sodann heißt der Flughafen nach Charles de Gaulle. Der Staatspräsident versuchte Frankreich als unabhängige Gegenmacht zu den USA aufzubauen (einschließlich des kanadischen Quebec). Das verschaffte ihm in der Bundesrepublik Anhänger unter den Kadern, welche die Amerikanisierung bekämpften und den Deutschen Geist gegen die Zersetzung durch die USA beschützen wollten. Daß de Gaulle 1958 für sich selbst ein autoritäres Regime etablierte, war diesen Kadern nur recht. »So durchquerte ich den Namen dieses alten Feindes, als ich damals über Paris nach Chicago flog.«

es in vielen Berufen versuchten, weil ihre Herkunftsfamilie sie ohne ökonomisches oder symbolisches oder soziales Kapital in die Welt entließ, kein Harvard oder Yale, schon gar nicht Eton oder Oxford: Dies alles 1947 auch Botschaften an die Deutschen, wie sie sich in Zukunft ihr Leben besser vorstellen sollten. Statt als Rittergutsbesitzer auf der Krim, wie vom Führer versprochen; oder als Patriarch eines Wehrdorfs in der Ukraine, die feindseligen Slawenmassen kujonierend, während die eigene blondhaarige Kinderschar jedes Jahr zunimmt. (Aber die Negersklaven in Amerika, unterbricht der Amerikafeind, erwähnt dein Dichter auch mit keinem Wort.)

Bemerkenswert an jenem amerikanischen Nationalgedicht: Es ist Kino. Das lyrische Ich – wie der Literaturfreund diese Instanz zu nennen pflegt – verkörpert eine Art fliegender Kamera, die über die riesige Landmasse schweift, sich sogar in der Zeit vorwärts- und rückwärtsbewegen kann, um hier das Biwak und dort die Spottdrossel, dann die Sumpfzedern und die Bergwerke Kaliforniens und den Tumult der Städte im Zoom zu erfassen. Die Imax-Kinos, die sich seit einiger Zeit in manchen Großstädten finden und die auf Monumentalleinwänden im Stil der alten Kulturfilme die Schönheit der weiten Welt feiern, sie entsprechen dem Geist dieses amerikanischen Nationalgedichts. Dabei enthält, was die fliegende Kamera des lyrischen Ich erfaßt, keine hermetische Wahrheit, die nur dem Eingeweihten sich erschließt. Keineswegs, diese üppig über die Weiten Amerikas ausgestreuten Einzelheiten gehören allen seinen Bewohnern: Auch dies eine Sonderbotschaft an die Deutschen mit ihrer so stark auf soziale Distinktion erpichten Poesie. Viele Tornister enthielten Gedichtbücher, deren Ruhm darauf gründete, daß der Soldat ihren hohen Sinn nur ungefähr erahnen konnte. Was ihn über sich selbst erheben sollte. (Soviel zum Literaturfreund.)

Aber ist es für die Deutschen denn kein Problem, daß die Mitte ihrer Hauptstadt, der Potsdamer Platz (wo in Berlin gegenwärtig ein Imax-Kino sich befindet), ausschaut wie eine amerikanische Mall? fragte neulich bei einem Abendessen der dreißigjährige Van Anderson aus Minneapolis, Minnesota. Gern gäbe ich seinen Beruf an, aber ich verstand seine Erklärungen dazu nur unvollständig; irgend etwas mit Sozialethik? So ergeht es einem öfter mit den professionellen Selbstbeschreibungen von Amerikanern.

Doch können wir uns hier unmöglich am korrekten Anfang der großen amerikanischen Entwicklungsgeschichte befinden, die Nachkriegsdeutschland ausbildete. 1947 war unser Held erst vier Jahre alt und des Lesens unkundig. Daß seine kulturfromme Mutter, die jene Ausgabe des amerikanischen Nationalgedichts dem außerordentlich bescheidenen Haushaltsbudget zum Trotz erwarb, ihm abends vor dem Einschlafen statt Märchen daraus vorlas, kann ausgeschlossen werden.

Es war eine ländliche Umgebung, in der unser Held aufwuchs, ein abgesondertes Haus am Waldrand, in der lieblichen Landschaft des mitteldeutschen Mittelgebirges. O Täler weit, o Höhen, o schöner grüner Wald. Keine Sumpfzedern, kein mächtiger Missouri, aber Buchenhaine und Rinderherden auf der Weide und im Tal ein kleiner Bach. Träumerisch malte es sich der Schüler in dem damals sogenannten Heimatkundeunterricht aus, wie in der Vorzeit dies Bächlein ein mächtiger Strom gewesen sei – vergleichbar dem Missouri –, der dies Tal über Jahrtausende hinweg in die Urlandschaft gefräst habe. Früher war es auch hier so wie in Amerika. Erst heute ist es so traurig und ärmlich und eng. Die Nachkriegszeit.

Es verhält sich wohl so, daß der Jüngling Walt Whitmans Nationalgedicht auf die USA erst las, als er selber Dichter war und in seinem Kopf Poesien zusammensetzte, während er durch Wald und Flur schweifte. Walt Whitmans Sound ist unmittelbar anschlußfähig an dies jugendliche Schwärmen. Seine poetisch überhöhte Erzählung der USA verwandelte die liebliche Mittelgebirgslandschaft Mitteldeutschlands und erzeugte das große amerikanische Zusammengehörigkeitsgefühl, »wir Menschen«.

Aber dies alles war viel später. Suchen wir den Anfang anderswo.

Weil das Kind sich langweilte, auch mit dem langweilte, was aus dem Radio kam (vielleicht Rudi Schurickes *Wenn bei Capri die rote Sonne im Meer versinkt*), stellte die Mutter diesen amerikanischen Soldatensender ein, von dem sie eben erst gelernt hatte, wo genau er auf der Skala zu finden war. Es würde passen, wenn der Apparat ein sogenannter Volksempfänger gewesen wäre, über den der Führer sein Deutschland zu beschwören pflegte.

Von da an, so kommt es mir vor, hörte der AFN nicht mehr auf zu spielen. Er begleitete die Schulaufgaben, er untermalte das Studium und die ersten Berufsjahre. Erst spät in den Siebzigern wurde der AFN abgeschaltet, aber da verschwand überhaupt das Radio, die Musik aus meinem Zimmer.

In der Nachkriegskindheit und Nachkriegsjugend verkörperte der AFN eine Transzendenz. Man verstand nicht, was die freundlichen Stimmen sagten, verstand erst allmählich – so wie der ABC-Schütze in die Schriftwelt eindringt –, indem das auf dem Gymnasium als erste Fremdsprache erlernte Englisch verfügbar wurde. In der vertrauten, armseligen, gedrückten Nachkriegswelt brachte sich eine andere, glücklichere zur Erscheinung. Daß sie nicht sichtbar, daß sie nur hörbar war, trug zu ihrer utopischen Kraft erheblich bei.

(Andere, schließt der Amerikafeind, nennen das Kulturimperialismus.)

Was wissen wir jetzt über die große amerikanische Entwicklungsgeschichte, die das westliche Deutschland nach 1945 ausbildete? Es scheint sich bislang um nichts Erzählbares, eher um eine Art Hintergrundgefühl zu handeln, Enthusiasmus, Überschwang, alles wird gut. Darin schwimmen die Stimmen und Musiken des AFN neben Gedichtzeilen von Walt Whitman.

Dabei weckt die Geschichte nicht notwendig Reisewünsche. Wenn du mit ihrer Hilfe das Rinnsal eines Baches – der auch noch Pfieffe hieß, ja Pfieffe – in einem der Täler des mitteldeutschen Mittelgebirges in den mächtigen Missouri verwandeln kannst, warum solltest du dann dorthin reisen und den mächtigen Missouri mit eigenen Augen sehen wollen? Gemessen an der Imagination, vermutlich eine Enttäuschung. Und so dauerte es lange, bis ich das erste Mal in die USA kam. Keines der vielen Angebote an junge Leute – Schüleraustausch mit Knoxville, Tennessee, oder ein Jahr in dem College in Maine – wollte unbedingt angenommen werden; es kostete auch zuviel Geld.

Zudem muß man bei dieser Geschichte stets darauf rechnen, daß sie sich in einer schwarzen Version auswirkt. Auch die Amerikafeinde pflegen ein allgemeines Hintergrundgefühl, das ihnen rechtzeitig mitteilt, wann irgendwo was Amerikanisches auftaucht und verworfen werden kann, Imperialismus, Sklaverei, you name it. Die Neubauten am Potsdamer Platz in Berlin schauen, statt genuin deutsch, wie eine durchschnittliche amerikanische Mall aus, Van Anderson hat doch vollkommen recht. Deutschland hat seine Seele verloren.

Der Weg nach oben

7 Uhr 30 aufgewacht. Dichte Wolkendecke, dunkelgrau, +12 Grad. Zum Frühstück Joghurt, schwarzen Kaffee. Agnieszka kommt die Wohnung putzen. Koffer packen.

9 Uhr 22 ab Berlin. Flugzeug vollbesetzt. Zeitung lesen; neue Terrordrohungen, anonym.

11 Uhr 20 an Paris. Lange Schlangen an den Flugsteigen; scharfe Gepäckkontrollen. Per Kreditkarte doch noch Rasierwasser, zollfrei.

13 Uhr 20 ab Paris. Enger Airbus, Fensterplatz; auf dem Nebensitz ein fetter junger US-Proletarier, stumm und ängstlich. Lunch liest sich auf französisch luxuriös. Prosciutto au melon. Sauté de bœuf au paprika. Riz pilaf. Fromage. Yaourt. Gâteaux aux pommes à la cannelle. Ißt sich ärmlich.

Via Irland über den Atlantik; wieder den Tränen nahe. Fertig mit Philip Roth, *Der Ghost Writer*. Die Meisterschülerin des alten Lonoff ist Anne Frank. Unentschlossen zwischen den Filmprogrammen zappen.

Über Kanada in die Neue Welt. Wälder, der Fleuve Saint Laurent. Der Lake Huron, der Lake Michigan. Hellblauer Himmel, wolkenlos.

15 Uhr 20 an Chicago. Abgeholt von der schönen Ewa Atanassow (Studentin aus Bulgarien). Sommerhitze. In so einer schwarzen Limousine in die Stadt. Hotel Omni,

Ecke Huron Street Michigan Avenue, Zimmer 607. Echte Bücher in den Regalen.

Durch die Straßen; Kaufhäuser kontrollieren. Die Michigan Avenue hinunter bis zum Art Institute. Pastrami Sandwich bei Ada's.

Um 20 Uhr Therese Berchtold in der South Wabash Avenue 1322 abholen. South Loop Bar statt des angesagten Clubs; dort findet eine Solidaritätsveranstaltung für die Palästinenser statt. A couple of beers und vodka gimlets. Auf der Straße ein aufdringlicher und lustiger Bettler: You're from Germany? I'm a black German!

Wenn man zum wiederholten Mal hinüberfliegt, melden sich die Kräfte der Imagination nur zart. Kein Reisefieber reißt um vier Uhr früh aus dem Schlaf und möchte den ausgreifenden Transport in allen Einzelheiten vorwegnehmen; die Putzfrau aus Polen erinnert nicht automatisch an die mexikanische, die angeblich so viele US-Familien beschäftigen (wenn illegal, dann kriegt Mann oder Frau Ärger, sollten sie in der Politik sein). Nein, polnische Putzfrauen machen in Berliner Haushalten schon seit Urzeiten sauber; das Vorbild liefert statt Amerika Preußen.

Dennoch zieht auch der wiederholte Transatlantikflug die Imagination an. Unaufgeregt im Flugzeug von Berlin nach Paris die Zeitungsmeldungen konsumieren, mit welchen Drohungen die Terroristen sich wieder ins Spiel brachten; en passant noch Rasierwasser kaufen, und das mit einer Kreditkarte – ich erinnere mich genau, wie erstaunt ich einst in der Zeitung las, die USA ersetzten zunehmend Scheine und Münzen durch »Plastikgeld« –;

das Flugzeugessen abschätzig statt mit Staunen betrachten und sich durch keinen der angebotenen Filme bannen lassen: Der junge Mensch, der ich einst war, träumte davon, sich dergestalt als Weltbürger inszenieren zu dürfen. Und zu diesem Weltbürgertum gehörte der Transatlantikflug dringlicher als Gondelfahrten in Venedig oder ausgefuchste Kenntnisse von Pariser Restaurants. Es mag sein, daß allein das stundenlange Fliegen über ein ungeheures Wasser den Raum der Imagination vertieft, und wenn der Sonnenschein den Atlantik erglänzen macht, wird es ganz unmöglich, sich der konvulsivischen Schönheit zu erwehren, die Philosophen als Das Erhabene beschreiben. Die Unermeßlichkeit des Anflugs über den Ozean steht für die unermeßliche Landmasse der Neuen Welt.

Die, wie sich dann wieder erweist – hier mit den kanadischen Wäldern und dem Sankt Lorenzstrom –, tatsächlich existiert statt bloß in Büchern oder Filmen. Ich erinnere mich genau, wie beim ersten Mal das Flugzeug (in Toronto) hart und ungeschickt aufsetzte; weil es so lange geflogen war, meinte ich: Die Stöße versinnlichten die Wirklichkeit der Neuen Welt treffend; kein Traumgespinst.

Gleichwohl bleibt man irgendwie traumbefangen (innerhalb der Imagination), der Lake Huron, der Lake Michigan unter einem diesig-blauen, wolkenlosen Himmel, das macht die Zeitverschiebung. Wer um 9 Uhr 20 in Berlin abfliegt und um 15 Uhr 20 in Chicago ankommt, befindet sich auf seiner inneren Uhr in Wahrheit bei 22 Uhr 20, anderthalb Stunden vor Mitternacht. Wer da bei hellem Sonnenschein und aus großer Höhe meergroße

Binnenseen bewundert, statt daheim gewohnheitsmäßig auf das Lesen im Bett zuzusteuern, der darf sich zu Recht so fühlen, als ob er träume. Die Zeitverschiebung entrückt. Was die Binnenseen angeht, so ist der Witz zu überliefern, den Professor Renell angesichts der brandenburgischen Seenlandschaft machte: »Three cheers to the Ice Age!« Sodann müssen wir aber auch auf den Fluch kommen, den eine Bürgerin der ehemaligen DDR, über den Lake Huron und den Lake Michigan nach Chicago einfliegend, über die Neue Welt sprach: Niemals hätte der weiße Mann sie kolonisieren dürfen. Die Einheimischen mit ihren authentischen Lebensformen vernichtete er und verdarb, was er für das Paradies hielt. Die unbesiedelten kanadischen Wälder gaben noch eine Ahnung vom Paradies; das Gitter der Autostraßen, die verstreuten Häuser und Siedlungen reden nur noch von Entfremdung – die Turmhäuser der Skyline von Chicago überlaut. So steht's in der schwarzen Fassung unserer Geschichte. Der Indianer, der am Strand seinen ersten Weißen traf, machte eine üble Entdeckung.

Bleibt Philip Roth. *Der Ghost Writer* steht zunächst einmal für die Unmengen amerikanischer Romane, die die Bundesrepublik seit 1945 verschlang und die den Austausch mit einem imaginären Amerika außerordentlich förderten. Man konnte die Reise ersparen, weil diese Bücher die Neue Welt weit intimer und durchsichtiger präsentierten; als Leser verwandelte man sich sogleich in einen Einwohner. Im Lauf der Jahre führte das dazu, daß die angloamerikanische Erzählprosa zum bevorzugten Lesestoff der Bundesrepublik aufstieg.

Der Ghost Writer aus dem Jahr 1979 rechnet zu den Zuckerman-Büchern von Philip Roth. So heißt darin ein Schriftsteller, der es Philip Roth erlaubt, literarisch seine Autobiographie auszubeuten und umzuarbeiten. Als Nathan Zuckerman kann Philip Roth sich in einen anderen verwandeln, der zugleich mit Philip Roth intimen Austausch pflegt, und ich komme so unauffällig zu einem zentralen Motiv, das von Anfang an die Bundesrepublik an den Vereinigten Staaten von Amerika faszinierte: Du kannst ein anderer werden. Das beginnt schon bei den Namen, die sich die Einwanderer geben oder die ihnen gegeben werden. Jeder kennt diese Filmszenen: Aus Vito Andolini, geboren im sizilianischen Corleone, macht der Immigration Officer auf Ellis Island der Einfachheit halber oder weil er falsch verstanden hat, Vito Corleone. Als ich mal im Telefonbuch von Manhattan nachschlug, fand ich mehrere Rutskys und war sicher, daß sie zu meiner Familie gehörten; rasch wurde ich nämlich selbst als »Mr. Rutsky« angesprochen, weil der Zischlaut in der Mitte, ein slawisches Č, amerikanischen Zungen Widerstand leistet. So schnell geht das also, daß man ein anderer wird. Wie schön.

Aber wir befinden uns, statt in Manhattan, in Chicago. In vielen Büchern von Philip Roth ist das der Schauplatz, und statt *Der Ghost Writer,* das irgendwo in Neuengland spielt, hätte auf dem Flug über den Atlantik eines dieser Chicago-Bücher gelesen werden können – *Tatsachen* zum Beispiel, die Autobiographie des Schriftstellers, wie erfunden auch immer, als Einführung in die Topographie und das Lebensgefühl der großen Stadt.

Jeden Wochentag vormittags von halb neun bis halb zwölf Uhr ging ich Aufsatzlehre unterrichten, und ein paar Tage in der Woche besuchte ich im Englischen Institut Doktorandenseminare. An den anderen Nachmittagen saß ich an meinen Küchentisch gequetscht, wo das Tageslicht stärker als sonstwo in meiner winzigen Wohnung war, und schrieb auf meiner Olivetti-Reiseschreibmaschine Kurzgeschichten. Am Abend ging ich hinüber zu Josies geräumiger Eisenbahnerwohnung in einem alten Gebäude nahe den IC-Gleisen; ich trug ein Bündel Essays von Studienanfängern unter dem Arm, die ich dann, nachdem wir gemeinsam zu Abend gegessen hatten, in ihrem Wohnzimmer korrigierte und benotete, während sie sich wieder daranmachte, die Farbschichten von der Kamineinfassung abzuspachteln, um zum nackten Kiefernholz vorzudringen. Ich fand es wacker von ihr, daß sie nach ihrem Tag im Sekretariat noch in der Küche neues Linoleum auslegte und von den Badezimmerwänden noch die Tapete herunterriß, und ich bewunderte ihre unternehmerische Art, mit der sie die Miete für die Wohnung geringer zu halten versuchte – und eine große Wohnung müsse es sein, sagte sie, damit die Kinder während ihrer Schulferien aus Arizona zu Besuch kommen könnten –, indem sie einen Hinterraum an einen ins Blaue hinein lebenden Früh-Hippie vermietete, der sein Studium an der U of C abgebrochen hatte und unseligerweise nicht immer das Geld für die Miete hatte.

Hier wird die schwarze Version der amerikanischen Geschichte von den großen Städten erzählt: Stätten reiner Menschenhybris. In der Alten Welt beleidigte schon ein einziger babylonischer Turm Gottes Ehre. In der Neuen führen sie ganze Wälder von babylonischen Türmen auf, schwerreiche Männer, von denen jeder die Stelle Gottes einzunehmen strebt. Weil sie so zusammenhanglos gegeneinander konkurrieren, ergibt die Stadt kein Ganzes; vor lauter Bäumen kein Wald.

Führungslos treiben die Untertanen am Fuß der Türme durch die Straßen, als einsame Masse. Keiner kennt den anderen, nichts verbindet sie. Zufällige Konstellationen schauen aus, als wollten die Leute eine Form finden, doch das mißlingt sofort. Die amerikanische Stadt zeigt, wie eine atomisierte Gesellschaft sich verhält.

»Aber es ist so schön hier. Die Stadt läßt so viel freien Raum zwischen den Menschen. Die Häuser nehmen dich nach oben mit, während du bloß an ihnen emporblickst. Durch die Straßen zu laufen erzeugt gleich einen leichten Rausch.«

Ja, nicht wahr, rasch verwandelt man sich vom Leser in den Helden dieses idyllischen Tageslaufs. Ich bin es, 60 Jahre alt, der da von sich selbst als einem jungen Mann erzählt, obwohl ich als junger Mann niemals ein solches wohlgeordnetes Leben führte und zu diesem frischen und entschlossenen Selbstmanagement zu keinem Zeitpunkt meines Lebens in der Lage war. Darin müssen die vielen amerikanischen Bücher die BRD von früh an trainiert haben: sich einmal so zu sehen, kräftig und umsichtig voranschreitend auf dem Weg nach oben (statt als besiegter Soldat, Flüchtling, Kriegerwitwe oder Kriegswaise).

Gleich wird uns freilich Philip Roth erzählen, wie Josie, seine einverständige Gefährtin auf dem Weg nach oben, als wahrer She-devil herauskommt und fast sein Leben ruiniert.

Während der Leser sich so leicht in die Helden dieser Erzählprosa verwandelt, bleiben die topographischen Angaben im Buch und treten nicht heraus. Obwohl ich in der U of C zu tun hatte bei diesem Aufenthalt in Chicago, kam ich nie auf den Gedanken, Therese Berchtold oder irgendeinen Einheimischen zu fragen, ob er sich in diesen Dingen auskenne. Wo genau der berühmte Philip Roth wohnte und lebte und arbeitete während seiner Zeit in Chicago. Die Gegenden, in denen ich dann herumlief, berührten sich mit dem Buch in nichts – so hielt es, wie gesagt, die BRD insgesamt mit den vielen amerikanischen Büchern. Man kannte sich genau aus in US-Topographien und konnte sich den Besuch in der Wirklichkeit sparen. Der Roman macht allwissend.

Ich lasse den Rest der Kalenderseite – Art Institute, Pastrami Sandwich, South Loop Bar – unkommentiert und wende mich dem strahlend sonnigen und kalten Frühlingstag zu, an dem ich mit R. diesen langen Spaziergang in einer von Chicagos Niemandsbuchten unternahm und bei dem er mir probehalber den Vortrag vortrug, den er am nächsten Tag in der University of Chicago zu halten hätte. Eine Ortschaft in dieser Niemandsbucht trägt den Namen Pilsen, und das reizte uns mächtig. Denn wir kämen bei dem Spaziergang natürlich nie in der tschechischen Stadt an (»am Zusammenfluß von Radbusa und Mies zur Beraun«); bei dem Ortsnamen handelt es sich, wie so oft in den USA, um ein Zitat: Europäische Ausgewanderte verliehen ihrer Siedlung einen Namen aus der Gegend, die sie verlassen hatten, kein Akt des Heimwehs, sondern stolze Restitution. Es kommt hinzu, daß unterdessen – wie man uns erzählte – die Kindeskinder längst in bessere Gegenden weiterwanderten und so den Ortsnamen seiner Bedeutung entleerten.

Also, die Niemandsbucht. Wir beginnen in der South Wabash Avenue, die hier ein Gewerbegebiet durchquert. Freilich liegt es still und leer unter dem klaren Sonnenschein, wie an einem Sonntag, kein Warenverkehr, kein von Arbeiten und Pflichten bewegtes Personal. Ich schaue in ein weites Areal mit dürftigem Bewuchs hinein, eine Brache, auf die das mächtige Lagergebäude daneben einen schönen scharfen Schatten wirft. Ein Bild für Unfruchtbarkeit und Verfall? Oder eines der Erwartung kommender Dinge?

Anfangs dachte ich ja, fährt R. fort zu grübeln, es wäre

ein leichtes, diese Geschichte zu erzählen. Was nach dem verlorenen Krieg im westlichen Deutschland geschah, wie man demokratische Regeln für den politischen Prozeß einführte, wie das Hollywoodkino kanonisch wurde, wie der Rock 'n' Roll seit den Fünfzigern die Tonspur für das Jungmenschenleben lieferte, dies alles, wollte ich zeigen, macht die Bundesrepublik zu einem Musterbeispiel für Amerikanisierung. Bedenkt man die finstere Vorgeschichte – sie steht, wie ich hinzufügen muß, R. und seinesgleichen immer und jederzeit vor Augen –, daß der Nationalsozialismus aus keinem oktroyierten Besatzungsregime bestand, sondern bis zur bedingungslosen Kapitulation tief im Volke wurzelte, dann liefert die BRD das erstaunliche Exempel, wie man eine Nation erfolgreich kolonisiert. Ein Abendessen in Berlin-Kreuzberg; am Ende stellt der Gast, Professor an der University of Chicago, amüsiert fest, man habe über die Romane von John Updike, das neueste Musikvideo von Madonna und die Filme der Coen-Brüder geplaudert, aber alles Teutonische fehlte. »Has Deutscher Geist vanished?«

Unterdessen beschäftigen mich in der South Wabash Avenue, auf unserem Spaziergang nach Pilsen seltsame kleine Zeichen, die man gleichfalls für Grübelei halten kann. Ein Bindfaden ward unregelmäßig in ein Fenstergitter geflochten; die Firma Bridgestone wirbt für sich selbst durch eine kristallförmige Drahtplastik über dem Eingang zu dieser Filiale. Allzeit die prachtvoll verschraubten Feuerwehrrohre in der Hauswand. Und das da habe ich sogar fotografiert: »Tuniska foot print« ritzte jemand in den Straßenbelag, als er noch weich war. Ein Mädchen aus Nordafrika? Der Abdruck selbst fehlt. Könnte R. seine Geschichte – statt mir – irgendeinem anderen Passanten in der South Wabash Avenue erzählen? Oder dem charmanten Bettler vom ersten Abend, der sich zwecks Marketing flugs in einen black German verwandelte? Jetzt fehlen andere Passanten ohnedies. Leere breite Straße unter hartem Sonnenlicht.

Dann kam der 11. September und der Krieg in Afghanistan, grübelt R., und meine Leute zeigten seltsame Reaktionen. Irgendwann im November veröffentlichte eine große Illustrierte von tadellos liberalem Ruf eine Umfrage unter Prominenz, Politikern ebenso wie Schriftstellern und TV-Celebrities, unter der Parole: »Stoppt diesen Krieg!« Ich möchte, so R., morgen das Statement dieses Theatermannes verwenden, der in den Siebzigern der frisch gegründeten Deutschen Kommunistischen Partei nahestand und in den Achtzigern in dieser höchst erfolgreichen TV-Serie – schon wieder ein amerikanisches Genre – den Klatschreporter gab, der als Maître de plaisir die Zuschauer durch die politisch-ökonomisch-sexuellen Affären der Münchner Gesellschaft geleitet.

> Wer ein Volk als Geisel nimmt, um seine Interessen durchzusetzen, ist ein Volks- und Kriegsverbrecher. Das serbische Volk ins Elend zu bomben war ein solches Verbrechen. Das afghanische Volk ins maßlose Elend zu stürzen und den korrupten Banditenhaufen, der sich Nordallianz nennt, an die Macht zu bomben ist ein solches Verbrechen. Die USA haben in den letzten Jahren viele Politverbrechen begangen.

> Gott sei Dank bin ich kein Amerikaner, aber wenn ich der Berliner Republik zuhöre – egal, ob rot, grün, gelb oder schwarz –, schäme ich mich immer öfter, ein Deutscher zu sein. Wir sind nämlich auf dem Weg – zurück! – ins Kriegsverbrechergeschäft. Diese Haltung bedeutet nicht, daß ich religiöse Bastarde, welcher Richtung auch immer, toll fände. Ganz im Gegenteil; aber man darf kein Volk als Geisel nehmen wegen eines Verbrechens, das es nicht begangen hat. Der theoretischen Erörterung, ob Soldaten Mörder sind, gibt die aktuelle Wirklichkeit eine klare Antwort: ja. Daraus folgt: Stoppt diesen Krieg. Keine deutschen Soldaten nach Afghanistan.

Vor allem macht mir Sorgen, so R. an unserem kalten Frühlingsnachmittag in der South Wabash Avenue – deren Lagerhallenarchitektur so wenig zum parkartigen Campus der University of Chicago, ihren hübschen historistischen Gebäuden im Stil von Oxford und Cambridge paßt, daß man sich in ein ganz anderes Land versetzt fühlt –, vor allem macht mir Sorgen, ob meine Amerikaner morgen verstehen, daß sie gemeint sind, die erst das serbische und dann das afghanische Volk in maßloses Elend bombten. Warum ließ der zornige Theatermann übrigens das irakische Volk aus? Hätte er das vietnamesische angeführt, wäre mir wenigstens hier und da Kopfnicken im Publikum sicher. Und heftiger Widerspruch: Das nutzlose und verbrecherische Flächenbombardement in Vietnam könne man unmöglich mit dem Krieg im Kosovo vergleichen, der die Albaner vor der jugoslawischen Vertreibungspolitik schützen sollte; oder dem gezielten Bombenkrieg gegen die talibanischen Stellungen in Afghanistan. Gewiß stelle, so R. in der leeren und hellen South Wabash Avenue, mindestens einer in dem warm mit Holz getäfelten Auditorium ironisch die Frage, ob der zornige Theatermann mit der kommunistischen Vergangenheit denn auch den Bombenkrieg gegen Hitlerdeutschland zu den amerikanischen Verbrechen rechne?

Wir stehen jetzt vor einem dieser Reklame-Schreine, die man in Amerika häufig, in Deutschland noch gar nicht sieht, eine hohe Metallsäule, die oben als Kopf einen länglichen Kasten trägt. Auf seiner Vorder- und Rückseite Schilder mit den Werbeparolen, die nachts elektrisch beleuchtet sind. Dieser Schrein hier macht für ein Satelliten-TV Reklame, »donate $25, get Satellite TV for 24 hours«. Ein religiöser Sender? Ich verstehe nur unvollständig oder bringe zu wenig Interesse auf. In einem Auditorium der University of Chicago, beruhige ich R., ließe der deutsche Theatermann sich gewiß verbindlicher aus. So eine Magazin-Umfrage ist doch gedruckte Talkshow – noch ein amerikanisches Genre –, die stets besonders steile und flammende Reden erheischt. Im Grunde predigt er durchaus amerikanisch gegen die USA, Ihr postkommunistischer Theatermann.

Auf so etwas, so R., wolle er morgen auch hinaus. Selbst der heftigste Einspruch gegen die USA bediene sich amerikanischer Formen und Genres. Eben biegen wir von der South Wabash Avenue rechts in die Cermak Road ein, die uns geradewegs nach Pilsen bringt und deren Name sich schon richtig böhmisch anhört.

Freilich stoßen wir hier erst einmal auf Chinatown, und die Szene belebt sich mit Einheimischen und Touristen. Immer noch das klare Licht und die Kälte, aber nicht mehr die Leere des South Loop. Vor uns spazieren zwei andere Männer in halblangen Jacken und mit Basecaps, große Umhängetaschen über der Schulter. Einheimische, spekuliere ich, haben hier keine schwarze Haut. Aber was wollen Touristen in diesem gar nicht besonders schnuckligen Chinatown? Oder gelten die postviktorianischen Wohnhäuschen als Sehenswürdigkeit? Die Schlangen, Drachen und Löwen an den Restauranteingängen, das Wimmelbild der Warenauslage in den Schaufenstern? (Wenn wir uns selbst fragten – wir sind auch Touristen – käme diese Geschichte hier heraus.)

Wir machen dann doch einen kleinen Rundgang, die roten vergoldeten Drachen, die postviktorianischen Häuschen. Die Straßen heißen aber Wentworth Avenue, Alexander Street und Princeton Avenue, bis wir wieder auf der Cermak Road laufen. Tragen die (ehemals) böhmischen Straßen auch böhmische Namen, so die aktuell chinesischen keine chinesischen.

Neben dem zornigen westdeutschen Theatermann, so war R. fortgefahren, wolle er morgen auch eine Ostdeutsche präsentieren. Sie sprach in der Ostberliner Gethsemane-Kirche über den 11. September, ein kultischer Ort, weil diese Kirche ein Zentrum der Unruhen im Herbst 1989 bildete, in denen schließlich die DDR unterging; indem D. hier über den 11. September predigte, beschwor sie diesen Genius loci und suchte alle kritische Energie der ehemaligen DDR in sich zu versammeln.

Der fundamentalistische Terrorismus ist ein Krebsgeschwür – aber nicht das einzige. Die Privatisierung von Gewalt haben lange vor ihm die Terroristen der Ökonomie praktiziert. Mitangesehen zu haben, wie ausgerechnet diese ebenfalls todbringenden Terroristen sich zu Verteidigern westlicher Grundwerte ernannt haben – darin liegt unsere Verantwortung. Schluß jetzt mit der Verlogenheit. Wir haben nicht länger das Recht, für unseren Wohlstand die Verletzung des Menschenrechts auf Leben in ärmeren Ländern billigend in Kauf zu nehmen. Genau diese gottlose Demütigung ist die Ursache der terroristischen Wut. Wir müssen für eine Welt sorgen, in der kein Terrorist Anlaß hat zu behaupten, er nähme nur das Recht auf Selbstverteidigung in Anspruch.

Terroristen, so D., verübten die Anschläge des 11. September, aber sie trafen auch Terroristen, nämlich Funktionäre des Kapitals, das als ökonomisches System weit mehr Unheil auf der Welt anrichtet als der fundamentalistische Islam, den man am besten als verdrehte, zugegeben: verbrecherische Reaktion auf das (amerikanische) Kapital versteht. Das klingt alles nach einem zur Folklore abgesunkenen Marx, so R.: Die Menschheit produziert gemeinsam den gesellschaftlichen Reichtum, aber dann kommt das (amerikanische) Kapital und nimmt sich den größten Batzen; unser Wohlstand verursacht direkt das Elend der Dritten Welt. Was wir haben und verzehren, fehlt ihnen. Diese D., so R., sollte übrigens mal Verfassungsrichterin in Brandenburg werden.

Was sie sagt, sage ich, klingt aber wiederum sehr amerikanisch, und daß sie eine Laienpredigt in einer Kirche hält, paßt dazu. Von vielen Kirchgängen seit der Kindheit kennen ihre Zuhörer morgen diese Beweisführung: Gott schuf den Reichtum der Welt für alle Menschen, was diejenigen, die mehr abkriegen, zum Teilen verpflichtet, zur Wohltätigkeit.

Jetzt öffnet sich ein Wasser – South Branch of Chicago River lese ich auf der Karte nach –, und wir stehen vor einem utopischen Bild. Über dem Wasser thront in der Ferne Downtown mit seinen Hochhäusern, man erkennt allen voran den Sears Tower, immer noch hoch genug, um sich neben den Lagerhallen nahebei in dem Flußarm zu spiegeln. Dort, dort in der Ferne, sagt das Bild, findest du Reichtum und Glück. Wir stehen auf der Brücke und staunen es an. So ist New York immer wieder fotografiert und gefilmt worden, vom Auswandererschiff, das neue Jerusalem. Ich wünschte mir, auch mal so mit dem Schiff in New York anzukommen, sage ich. Nach vielen Tagen Meerfahrt erscheint hinter den Wassern die utopische Stadt. Ich würde in Tränen ausbrechen, sagt R. Für ihn sei das Bild fest mit den Flüchtlingen aus Hitlerdeutschland verknüpft: Ein unermeßliches Erleichterungsgefühl, was auch immer jetzt kommt, sie waren entronnen.

Dann verwandelt sich die Cermak Road – genaugenommen die West Cermak Road, aber in die East Cermak Road gelangen wir nie – tatsächlich in so etwas wie eine Landstraße durch diese Niemandsbucht, über die R. und ich nach Pilsen wandern bei unveränderlichem Sonnenschein. Kein Wind. Rechts und links der Landstraße

Dies könnte Therese Berchtold sein. Längere Zeit verbrachte sie in den Vereinigten Staaten, um sich zu verwandeln. Sie wollte endlich eine Entscheidung treffen. Es würde passen, wenn sie in der Alten Welt zwischen zwei Männern gestanden hätte: der ältere Rechtsanwalt, eine Vaterfigur, und der junge Schluri vom Theater. Oder der abgelebte Hippie und der aufstrebende Software-Spezialist (oder was man sich so ausdenkt).
Aber die Entscheidung, die Therese Berchtold in der Ferne endlich treffen wollte, betraf weniger die Liebe als die Arbeit. Sollte sie in der Alten Welt das Jurastudium fortsetzen, unendliche Mühen, jedes Semester eine Qual? Oder sollte sie sich den Theaterträumen zuwenden, die sie seit der Kindheit nicht mehr loslassen? Oder bloß sein, sonst nichts, ohne alle weitere Bestimmung und Erfüllung?
Das Appartementhaus, in dem Therese Berchtold sich zu verwandeln hoffte, gehört jenem Teil ihrer Familie, der im 19. Jahrhundert nach Amerika ausgewandert war. Doch vermutlich zeigt das Foto gar nicht Therese Berchtold, sondern jemand ganz anderen.

freilich keine Hügel oder Wälder, sondern weiterhin Lagerhäuser; linker Hand – so sagt es die Karte – das Hafengelände des South Branch of Chicago River. Menschenleere; keine anderen Fußgänger. Die Naturlaute der Landstraße vertritt das Rauschen des Autoverkehrs, an dessen Rand wir wandern. Wiederum bleibt offen, ob das Gelände Brache ist, bis auf weiteres verfallen, oder kommende Dinge kurz bevorstehen, wobei die Lagerhäuser des Hafengeländes, die Festungen, gar Palästen ähneln, die Erwartung von Untergang oder Auferstehung noch steigern.

So wolle er es, so R., grundsätzlich der U of C erklären, deren parkartigen Campus eine Kamera hoch über uns viele Blocks weiter im Süden erfassen würde: Schon in den Sechzigern verdankten sich alle Formen des Protests in der BRD, die Sit-ins, Go-ins, Teach-ins, die großen Demonstrationen gegen den Vietnamkrieg und den US-Imperialismus, ausschließlich amerikanischen Vorbildern. Keiner der jungen linksradikalen Kader griff auf teutonische Protestformen zurück, das »deutsche Turnen« von Friedrich Ludwig Jahn, das den deutschen Leib gegen den französisch-napoleonischen Einfluß wappnen, ja für den Krieg gegen die Macht aus dem Westen ertüchtigen sollte. Kein Zulauf zu den studentischen Burschenschaften mit ihren blutigen Schwertritualen – auch sie hatten sich ursprünglich gegen Napoleon gegründet, und die Freiheitsideale, die sie anfänglich verfochten, hätte der Jugendprotest der Sechziger aktualisieren können: nein. Auch versuchte sich keiner der Protestler im »völkischen Denken«, wie es der Philosoph Johann Gottlieb Fichte in seinen schauerlichen *Reden an die deutsche Nation* von 1807/08 erfand. Ein paar Prunknamen müssen sein in einem akademischen Vortrag, grinste R. schuldbewußt. Wie das völkische Denken – was das Deutschtum seinem Geist und seiner Seele zufolge wahrhaft wolle – den (rechtsradikalen) Jugendprotest der Zwanziger stimulierte, der dann dem Dritten Reich so viele jugendliche Anhänger verschaffte, das, so R., verdeutlichte er sich erst viele Jahre später durch Lektüre, als Bericht aus einem fernen Land, dem die BRD der Sechziger in nichts mehr glich. Klar, es gab sie noch, die Burschenschaften mit ihren Uniformen, rituellen Gelagen und Schwertkämpfen, aber sie zählten ihrerseits zu den Feinden; niemand suchte bei ihnen Verbündete für den antiamerikanischen Protest.

Die Jungrebellen der Sechziger, so R., der in Schwung kommt, während wir die Cermak Road hinunter gen Pilsen wandern, assoziieren sich auch nirgends mit der Jugendbewegung vom Anfang des 20. Jahrhunderts, die, stadtfeindlich, den jungen Menschen zum Wandern in der freien Natur versammelte, wo er sich mystisch mit der deutschen Landschaft vereinigen sollte. Das extra zu diesem Zweck verfertigte Liedgut – »Aus grauer Städte Mauern ...« –, von dem er als Schüler in den Fünfzigern noch Teile mitbekommen habe, blieb in den Sechzigern ungehört. Die Hippies von San Francisco beeinflußten die deutsche Jugendbewegung der Sechziger weit gründlicher als die sogenannte Lebensreform um 1900 (zu der man, so R. pedantisch, den Wandervogel hinzuzählen darf). Die BRD nahm praktisch am mythischen Woodstock-Festival von 1969 teil; von dort ging »nackt unter Nackten« als

Parole für ideale Gesellung aus – eine Parole, die heute in Deutschland sommerliche Parks, Strände und Freibäder bestimmt –, und der teutonische Traditionsbestand der Nacktkultur, bei der man sich im Lichthemd zum Lichtgebet aufreckt, blieb unbelebt.

Die Musik, die auch die westdeutsche Protestbewegung untermalte, war Rock 'n' Roll, Pop, »Beatmusik«, wie man damals sagte, die schwarze Musik der amerikanischen Südstaaten, die den Weißen das Tanzen beibrachte.

> Sie drehten sich, wirbelten und schwangen ihre kleinen toten Ärsche wie versteinerte Scheintote, die versuchen, die Lebenswärme zurückzugewinnen, die toten Glieder, den kalten Arsch, das steinerne Herz, die steifen, mechanischen, untätigen Gelenke mit dem Funken des Lebens zu entflammen.

In Deutschland, so R., zersetzte der Rock 'n' Roll schon seit den Fünfzigern die Restbestände des »soldatischen Mannes«, dessen Ideal die Väter geprägt und sie im Zweiten Weltkrieg so lange hatte durchhalten lassen. Gleichwohl, die Alliierten, allen voran die Amerikaner, siegten. Im Ohr keine düstere Schicksals-, sondern Tanzmusik, wie man im Nachkriegsdeutschland glaubte, die Arrangements eines gewissen Glenn Miller. Swing umspielte eine mythische Soldatengestalt der Nachkriegszeit: den schwarzen GI in tadellos gebügelter Uniform, der strahlend auf seinem Panzer die Straße herunterkommt und von oben Chewing gum und Hershey bars an die Jungs verteilt, die staunend mitlaufen.

Die westdeutschen Schüler und Studenten der Sechziger – wolle R. morgen in der University of Chicago erzählen – verfügten nur selten über »Schallplattenspieler«, wie das Gerät damals hieß, und die »Schallplatten« kosteten viel Geld. Man hörte Radio, und hier bevorzugt AFN, den amerikanischen Soldatensender. Der nämlich spielte ausgiebig die richtige Musik, während die Sender der BRD sich noch angelegentlich dem deutschen Schlager widmeten. Das ergebe, so R., doch ein prägnantes Bild, wie die Amerikanisierung der BRD auch den antiamerikanischen Protest prägte: Der linksradikale Student, durch den Vietnamkrieg gegen die USA aufgewiegelt, hört den ganzen Tag Rock 'n' Roll im AFN.

Und so erreichen wir Pilsen. Wir biegen rechts von der Cermak Road in die Carpenter Street ab; der Dvorak Park: außer dem Namen nichts Bemerkenswertes.

Dann lassen wir uns treiben, bis wir so etwas wie das Zentrum des Städtchens erreichen, belebte Straßen, voller Leute und Autos, Geschäfte, Lokale, Reklame, und es bewahrheitet sich, was man uns über Pilsen erzählt hatte: Längst wanderten die Böhmen weiter, und heute besiedeln Latinos, Mexikaner und Puertorikaner die viktorianische Siedlung. »Pilsen Station Chicago Illinois« steht feierlich in eine massive Wand gemeißelt, aber wenig später fotografiere ich das zerbrochene Schild eines Frisiersalons, der Cortes, Peinados, Tintes, Rayitos, Faciales, Maquillajes sowie Depilacion con Cera anbietet. Drüben, in den feinen Gegenden findet sich gewiß jemand, der ein solches handgemaltes Schild als Sammlerstück schätzt.

Liefen wir die 19. Straße bis zum Harrison Park durch, wir kämen dort zum Mexican Fine Arts Center. Gewiß schaut es anders aus als das berühmte Art Institute of Chicago, das ich gleich am ersten Tag wenigstens von außen beaugenscheinigen mußte (dort hängt Edward Hoppers Gemälde Nighthawks, vier einsam-stolze Leute in der verglasten Bar an einer Straßenecke, das seit Jahren als Poster jungen Nachtschwärmern in Berlin und anderswo bei der Selbstromantisierung hilft). Denkt man hier in Pilsen an die feinen Gegenden oder an Downtown, so scheint das wiederum in einem anderen Land zu liegen. An vielen Stellen schaut Amerika aus wie Dritte Welt.

Es muß in der Blue Island Avenue gewesen sein, wo ich noch einmal das utopische Bild fotografierte: über den ärmlichen Fassaden von Pilsen der Sears Tower. »Dort wollen wir hin.« Das Stadtbild selbst verlockt zur Mobilität; tatsächlich sah ich – in der Cafeteria des Museum of Contemporary Art, oben in der Chicago Avenue, wo man durch Panoramafenster einen Blick auf den See als Monumentalgemälde hat –, tatsächlich sah ich in der Ersten Welt von Chicago viele Latinos als Kellner und in ähnlichen Jobs. Vor zehn Jahren, meinte ich, seien das noch Schwarze gewesen.

Über die Blue Island Avenue liefen wir dann zurück. Grandios meldet sich dabei noch einmal die Niemandsbucht mit ihren Brachen, Lagerhäusern und stillen Fabriken. Als wir die (South) Racine Avenue kreuzen, erzähle ich R., wie in der (North) Racine Avenue, in seiner Wohnung die Killer Al Capones (Robert de Niro) den irischen Polizisten Sean Connery durchlöchern, der zum Team der

Unbestechlichen von Elliott Ness (Kevin Costner) gehört, die Al Capones Herrschaft über Chicago brechen. (Ich könnte weitererzählen von Robert Stack, der den Elliott Ness 1956 bis 1962 in einer berühmten TV-Serie gab, die ich erst viel später sah und die in strahlendem Schwarzweiß ein imaginäres Chicago in meinem Kopf aufbaute – lückenlos erstreckt sich das Gelände dieser Mythologien in meinem Gedächtnis.)

Überraschend gelangt man aus der Niemandsbucht dann auf den Campus der University of Illinois at Chicago und durchquert Scharen junger Menschen. In der (West) Harrison Street ergeben sich noch einmal Blicke auf den South Branch of Chicago River sowie die Eisenbahntrasse, an der weit tiefer im Süden, nahe der U of C der She-devil Josie ihre Wohnung hatte, wo der junge Literaturdozent Roth seine Liebste regelmäßig besuchte. Aus solchen Teilen allmählich eine Stadtkarte zusammensetzen, das beschäftigt angelegentlich die Imagination. Linker Hand kommt der Sears Tower immer näher.

Warum nahmen wir nirgendwo einen Bus oder die Metro? Weil die Imagination vorschreibt, daß man hierbei spaziert. Nur so gelangt das fremde Gelände unter Kontrolle. Ich muß aber auch eine eigentümliche Hemmung eingestehen. Wenn es irgend geht, vermeide ich in fremden Städten, die öffentlichen Verkehrsmittel zu benutzen. Stets fürchte ich, ich steige in die falsche Linie und lande in der Irre; auch fürchte ich, das falsche (zu wenig) Fahrgeld bezahlt zu haben, was mich den Häschern ausliefert, die längst unterwegs sind und die mich schon gar in die Irre verschleppen werden.

Außerdem fragen Sie mich, warum R. und ich nirgends einkehrten. Es entstehen doch Hunger und Durst bei einem solchen Marsch von vier bis fünf Stunden. Der Versuch, in irgendeiner Bar von Pilsen ein Pilsner zu ordern, ergäbe gewiß Erzählenswertes. Irgendwo wenigstens einen Snack zu verzehren, das verbände uns noch inniger mit dem böhmisch-mexikanischen Städtchen. Warum warten wir, bis die Füße uns bis zu Bennigan's in der Michigan Avenue tragen, nahe dem Art Institute, Caesar's Salad mit Hühnerbrust, zwei Heineken? (Dieses Jahr charakterisiert es das Biertrinken in Amerika, daß der Glaskrug stets aus der Kühltruhe kommt und ihn Rauhreif überzieht.)

Ja, warum weder essen noch trinken in Pilsen? Ich verrate, daß unten, als wir in der Cermak Road wanderten, wo sie eine leere Landstraße durch die Niemandsbucht darstellte, rechter Hand ein veritabler Diner in Sicht kam, wie man ihn aus so vielen Filmen kennt, eine Baracke in der Form eines Eisenbahnwagens. Und ich spielte mit dem Gedanken, da drinnen unter den Arbeitsmännern endlich ein Steak zu verzehren, um der Seele Amerikas nahe zu sein. Das ergäbe doch eine Filmszene: Zwei ältere Herren aus Europa, korrekt gekleidet, betreten einen Diner der amerikanischen Arbeiterklasse, und man behandelt sie sogleich mit der landesüblichen Höflichkeit. Das paßt genau.

R. war es, der solche praktischen Experimente ablehnte. Mit einer komplizierten Begründung. Bekanntlich sei seine Schaulust enorm – deshalb ziehe er ihr Grenzen. Aus Neugier in einen proletarischen Diner oder eine Bar der Dritten Welt einzukehren, da müßte er sich schämen. Und

Statt – wie in Hollywood auf dem Boulevard im feuchten Makadam – der Handabdrücke der Stars wurde hier also Schrift hinterlassen, geritzt.
»Tramp« sagt das Wörterbuch von Muret-Sanders (1907), unter die Füße treten oder durchwandern oder schwer auftreten, trampeln. Im Schottischen durch Treten im Wasser reinigen. Das Langenscheidt-Wörterbuch fügt hinzu: Landstreicher. (Das Schottische fehlt). »The Lady is a Tramp« singt Frank Sinatra. Daran halten wir uns.
In dem feuchten Makadam verewigte sich jemand, der als bloß vorübergehend definiert sein will. Das verstehen wir gut.
Aber was bedeutet das »-us«, die lateinische Endung? Gar kein Latein, sondern ein den Einheimischen vollkommen geläufiges Anhängsel wie bei uns »-chen« oder »-ino«?
Wenn aber doch Latein, dann gilt dasselbe wie im Alten Europa: Nobilitierung. Auch wer in der Neuen Welt sich als bloß vorübergehend verewigen will – indem er seinen Job in den feuchten Makadam ritzt –, greift auf die Bestände der Alten Welt zurück.

deshalb fühlte er sich stets von abweisenden bis feindseligen Blicken verfolgt, wenn er dem Voyeurismus in einem solchen Fall doch nachgab: Vor vielen Jahren in London, Pimlico Road, vor dem Kino noch ein Bier in diesem klassischen Pub mit Mahagoni, Messing und Plüsch trinken – der klassisch britische Pub befand sich aber fest in schwarzer Hand. Gewiß hätte man ihm Bier ausgeschenkt. Doch wäre es ihm glatt mißlungen, all diese dunkelhäutigen Menschen beim Trinken und Reden nicht fortwährend anzuglotzen, und deshalb ging er lieber gleich wieder raus.

Wir verzichten darauf, hier den Rest des Vortrags folgen zu lassen, den R. morgen in der University of Chicago halten würde. Erzählenswert, daß ihn sein Englisch wieder mit großer Unzufriedenheit erfüllte. In seiner Phantasie nämlich spricht R. wie ein Einheimischer. Aber wenn die Sprache nach draußen dringt, hört sie sich seltsam an. Er brauche nicht immer zu wiederholen, scherzte Therese Berchtold, daß er from Germany komme. Man höre es sofort. Ein Basismechanismus dieser Geschichte, daß man hier in Amerika auf Anhieb ein anderer ist, verweigerte also den Dienst. Er solle nicht so enttäuscht gucken, fuhr Therese Berchtold aber fort: Viele Einheimische sprächen Englisch weit schlechter als er.

Was lehren uns die Ausführungen von R. über den antiamerikanischen Protest im Hinblick auf unsere Entwicklungsgeschichte? Daß schon auf ihrer Innenseite sich befindet, wer in dieser Weise seine Amerikafeindschaft elaboriert; meist schließt er sich ja auch Positionen an, die in den USA selbst längst ausgearbeitet werden und die man dort keineswegs als Antiamerikanismus, sondern als uralten Bestand des breiten amerikanischen Meinungsstroms erkennt. Sorgen müßte man sich machen, wenn der antiamerikanische Protest in der Bundesrepublik plötzlich die ehrwürdige Affinität entdeckte, welche die deutsche mit der russischen Seele verbindet, eine Bindung, die das amerikanisierte Deutschland so lange verleugnete, die eben jetzt aber sich wieder unwiderstehlich offenbart …

Freilich meldet sich hier sofort der Gedanke an die vielen Russen, die im Lauf der Zeit in die Neue Welt auswanderten und die dort gewiß den Kult der unergründlichen russischen Seele, der besonderen russischen Sozialität fortsetzen, während sie gleichzeitig immer wieder in das proud to be American ausbrechen.

Zu seinem Glück, muß man sagen, reiste R. ein Jahr vor dem angloamerikanischen Krieg gegen den Irak Saddam Husseins nach Chicago, um seinen Vortrag über die Amerikanisierung der BRD zu halten. Erstens hätte ihn während dieses Krieges das Auditorium scharf mit Anfragen rangenommen, wie er zu dem Pazifismus und Isolationismus Deutschlands stehe, das augenscheinlich aus der Weltgeschichte austreten und die Dreckarbeit, gefährliche Tyrannen zu beseitigen, den Amerikanern überlassen wolle – um sie dann als kriegslüsterne Imperialisten schwer zu tadeln. Zweitens hätte R. weit wüstere antiamerikanische Statements, als sie der postkommunistische Theatermann und die restmarxistische Ostfrau absonderten, in der University of Chicago zu Gehör bringen müssen. Während des Irakkrieges elaborierten die Deutschen, vom Professor bis zum Gymnasiasten, von der Friseuse bis zum TV-Star, eine unglaubliche Wut gegen die USA, und R. hätte das nicht beschweigen können. Daß auch dieser Protest sich der Amerikanisierung Deutschlands verdankt, das plausibel zu machen wäre R. womöglich mißlungen.

Leicht erkannte man, wie in der Protestwut die schwarze Version unserer amerikanischen Geschichte sich auswirkte. Die USA erschienen als der Große Satan, der den Planeten zu unterwerfen strebt; jeder Leserbriefschreiber konnte die Geschichte konsistent erzählen, wie sie für ihn in unzähligen Einzelmeldungen seit Jahren offenliege, eine Geschichte mit strahlend schwarzem Glanz, der sogleich ihren erotischen Charakter verrät. Und den verlangen wir ja von der Imagination, sobald sie eine gewisse Kraft gewinnt.

Außerdem

Und das wäre alles Erzählenswerte von dieser Reise nach C.? Die Stadt übertrifft das auch nicht gerade schweigsame Berlin bei weitem an Beredsamkeit. Allein die Zeitungen laden dazu ein, hemmungslos weiterzumachen.

> Raymond W. Snaideraitis, 41, Verkaufsleiter, Ältester der evangelisch-lutherischen Immanuel-Kirche in Mokema, starb am Montag bei einem Verkehrsunfall in Jackson, Michigan. Geboren und aufgewachsen in Chicago, zog Mr. Snaideraitis während seiner Highschool-Zeit mit seiner Familie nach Orland Park. Er besuchte für zwei Jahre das Moraine Valley Community College in Palos Hills; 1983 machte er seinen Bachelor in Marketing. Mr. Snaideraitis arbeitete als Verkäufer für verschiedene Firmen, so die Romano Brothers Beveridge Co. und die Performance Packaging Services. 1989 trat er bei ITW Dynatec als Verkaufsleiter ein. Mr. Snaideraitis sprach Deutsch und war Mitglied bei DANK South, einer Ortsgruppe der Deutsch-Amerikanischen Vereinigung. 1983 lernte er auf Chicagos Germanfest Christina Weich kennen; sie heirateten drei Jahre später und zogen nach Orland Park. Mr. Snaideraitis verbrachte sein ganzes Leben in Chicago und seinem

Umkreis. Neben seiner Frau hinterläßt er drei Söhne, Michael, Erich und Jeffrey; seine Eltern Otto und Hertha; und eine Schwester, Christine.

Wir verzichten auf die Verlebendigung der Szene: Wie R., während er bei Bennigan's, Michigan Ecke Harrison Street, seinen Caesar's Salad verzehrte und der Kellner eben vorbeikam, um die Ritualfrage zu stellen, ob alles zur Zufriedenheit sei; wie R., nach einem neuen Schluck Heineken, in der *Chicago Tribune* den Nachruf auf Raymond W. Snaideraitis entdeckte.

Der Text ist ja romanhaft genug. Die Namen der Orte, Schulen und Firmen, zu denen jedes Fitzelchen Anschauung fehlt. Während der Name Raymond W. Snaideraitis sich sogleich mit Einfällen füllt: Ich bilde mir ein zu wissen, daß dies ein baltischer Name ist, daß Mr. Snaideraitis respektive seine Eltern aus Estland, Lettland oder Litauen stammen und zu einer Volksgruppe gehören, die man Deutschbalten nennt (wobei weder »Deutschbalten« noch »Volksgruppe« im alltäglichen Sprachgebrauch der BRD oft vorkommen). In meiner Familie genießen die Deutschbalten einen schlechten Ruf; dort waren die Freicorps zu Hause, die in der Weimarer Republik blutig Ordnung machten unter den roten Aufständischen und dabei reichlich Unordnung in der neuen Republik. Bis auf die großen Hansestädte unterstand das Baltikum einer Adelsherrschaft, deren Tyrannei, Dekadenz und Langeweile an langen Sommernachmittagen notorisch waren und die in meiner Vorstellung so etwas wie die verschärfte Version des ostelbischen Junkertums darstellt, »alles Verbrecher«.

Für das Dritte Reich sind die Schrecken des Gettos von Wilna kanonisch. »Das Baltikum, das ist Deutschland ganz verfinstert.« Wußte man in der kleinen Stadt, wo ich aufwuchs, von einer Flüchtlingsfamilie, sie stamme aus dem Baltikum, so entstand eine noch tiefere Dunkelheit als bei Ostpreußen, Pommern und Schlesien, wobei sich die Schrecken, die die Deutschen dort verbreiteten, untrennbar mit denen vermischten, die sie erlitten. Deutschland, wie es die BRD keinesfalls bleiben wollte, was auch immer die Vertriebenenfunktionäre predigten.

Aber womöglich verließen Hertha und Otto Snaideraitis genau diese Vorgeschichte, indem sie nach Chicago, Illinois, auswanderten. Wenn es nicht schon ihre Eltern waren, von denen ein männlicher Teil gewiß Erich mit Vornamen hieß, der nun in seinem Urenkel wiederkehrt. Ihren Sohn dagegen belegten Hertha und Otto Snaideraitis mit dem Vornamen Raymond, aus dem Französischen, als solches aber im Amerikanischen unerkennbar. Kein Heinrich oder Hermann, gar Adolf: Daß in Little Germany der NS nostalgisch weiterblühe, gehört zu meinen Standardverdächtigungen gegen deutsche Ausgewanderte. Merkwürdigerweise liegt es R. ebenso wie mir, ebenso wie Therese Berchtold völlig fern, mal in irgendeinen Kontakt mit dieser Deutsch-Amerikanischen Vereinigung zu treten.

Und so entsteht, während R. mit einem Schluck Heineken den Geschmack von Hühnerbrust und Knoblauch und grünem Salat in seinem Mund hinunterspült, ein ganzes Geschichtskapitel aus dem Namen eines Toten in der *Chicago Tribune*. Womöglich stammt die Familie Snaideraitis aber aus Bessarabien? Und warum verzichtete sie hartnäckig darauf, den Namen als »Snyder« zu amerikanisieren?

An einem anderen Nachmittag gelang es R., sich im Loop zu verirren. Wobei vom »Loop« zu reden voraussetzt, daß er schon eine Vorstellung davon besaß. »Die Chicagoer nennen das Herz ihrer Stadt The Loop«, heißt es vertraulich im Reiseführer. Die Hochbahn beschreibt hier diese Schleife, die als Rechteck ein genau umgrenztes Quartier einschließt. Die Straßen verlaufen nach dem bekannten Gittermuster (das Bewunderer mittelalterlich verwinkelter Gassen als Zeugnis kalter Rationalität verachten).

Wie R. sich verirrte, kann man genau beschreiben. Er verlor die Orientierung nach Nord und Süd und so auch die nach West und Ost. Ihm wurde unklar, ob er die La Salle Street, auf die er eben wieder vom Jackson Boulevard einbog, nach rechts hinunter- oder nach links hinaufspazieren mußte, denn er hatte schon keine Vorstellung mehr davon, ob er den Jackson Boulevard – hier hießen die Parallelstraßen alle nach amerikanischen Präsidenten – in Richtung See oder in Richtung Westen abgelaufen war. Dasselbe läßt sich für R. in der Adams Street und in unserer beliebten Wabash Avenue, der Madison oder der Clark Street sagen: Sie alle treffen im rechten Winkel, also vollkommen übersichtlich aufeinander, aber wenn man die Vorstellung verloren hat, wo West und Ost, Nord und Süd liegen, verwandelt sich das rationale Raster in einen undurchdringlichen Wald, in ein Labyrinth aus babylonischen Türmen.

Indem er sich verirrte, geriet R. in eine besondere Erregung, ja Begeisterung hinein. Denn in einer großen Stadt wie in einem Wald sich zu verirren, gilt unter seinesgleichen seit langem als eine eigene Meditationsübung. Das hängt mit dem Paris des 19. Jahrhunderts und dem Berlin der zwanziger Jahre des 20. Jahrhunderts zusammen, als der Kulturbürger lernte, sich mit der Großstadt – womöglich der eigenen – durch Flanieren ins Benehmen zu setzen. Kein Reiseführer, weder ein lebendiger noch einer in Buchform – »rechts sehen Sie das städtische Zuchthaus« –, ist vonnöten; man lasse sich treiben. Hinterher darf man herauszufinden versuchen, welches dies oder jenes bemerkenswerte Gebäude gewesen sein könnte (»ach so, Zuchthaus, deshalb hatte der Turm nur solche Schlitze als Fenster«).

Normalerweise verliert R., wenn er sich dergestalt treiben läßt, nie die Orientierung. Im Gegenteil, allmählich baut das Spazierengehen ein genaues Bild von den Straßen und ihren Verhältnissen in seinem Kopf auf. Im Lauf der Zeit macht ihn das zum Herrn der Lage. Bald weiß er, geht er hier links, kommt er zu der Starbuck-Filiale, in der er noch einen Kaffee trinken und dies ordinäre, schmierig-süße Fudge Brownie zu sich nehmen könnte, rechts hingegen fände er die Buchhandlung, die ihn mit einem weiteren Roman von Philip Roth versorgen würde (für die infolge der Zeitverschiebung anhaltend schlechten Nächte: um vier Uhr früh ist Schluß mit Schlaf).

Romantisch erregte dieser Nachmittag – der schon in den Abend überging, was die Schluchten zwischen den eng gesetzten babylonischen Türmen verdunkelte, auch wenn immer mehr Kunstlicht dazukam –, romantisch erregte diese Verirrung R., indem das Flanieren ihm den gewohnten Kenntnisaufbau verweigerte, ihn entmächtigte. »Wenn ich jetzt einfach geradeaus gehe, stoße ich mit Sicherheit auf das Art Institute.« Nein, hier läuft die Straße einfach weiter, und das da sieht gar nicht nach dem Art Institute aus. »Auf dieser Höhe müßte ich in der State Street rechter Hand doch das gotische Hochhaus der *Chicago Tribune* sehen.« Keine Spur davon.

Was das ziellose Flanieren auf natürlichem Wege beendet: eine Mahlzeit. Neben einer genauen Kenntnis der Straßen und ihrer Verhältnisse entsteht auch eine der Lokale, an denen man so vorbeitreibt. Immer wieder liest R. die ausgehängten Speisekarten und befragt sich, ob der Text mit dem Appetit verschmelze, den er in sich erwekken will; ob die leicht unverständlichen Namen der Speisen unwiderstehlich zu deren Verzehr locken. Im übrigen gestaltet sich diese Suche immer weit schwieriger als die Flanerie; denn diese begnügt sich ja mit anhaltender Vorlust, während die Mahlzeit eine Endlust herbeiführen will.

Vielleicht trug zur Verwirrung von R. an diesem Nachmittag bei, daß er, indem er sich vom Norden her in den Loop hineintreiben ließ, eigentlich gar nicht richtig auf der Suche nach dem Lokal war, wo die endgültige Mahlzeit zu verzehren sei, vielmehr wußte er's schon. In der State Street, an der Ecke Kinzle Street mutete ihn eine dunkel mit Holz getäfelte Bar – »irgendwas zwischen Scheune und englischem Traditionspub« – unwiderstehlich an, und der anschließende ausgiebige Spaziergang nach Süden stellte nur einen genießerischen Umweg dorthin zurück dar. Doch widerspricht es den Regeln, daß der Flaneur ein Ziel verfolgt, und dafür mußte R. büßen, indem er sich verirrte.

Endlich findet er zu den Koordinaten zurück. Nicht die Straßen und ihre Namen sorgen dafür, es ist das Wasser, der Chicago River, der ihm unmißverständlich anzeigt, wo er sich befindet, indem er zum See fließt und damit die Verhältnisse von Osten und Westen, Norden und Süden im Kopf von R. ruckartig wiederherstellt. Hier öffnet sich dann auch jene Dunkelholz-Bar, in die R. die ganze Zeit verworren strebte, und er setzt sich an den Tresen, der als Rechteck tief in den Raum reicht.

Auf dem nächsten Barhocker sitzt ein hübscher junger Mann, der nach dem Essen in einem Buch liest. Als er austrinkt und zahlen will, erbittet die Barfrau zur Kreditkarte seinen Ausweis. Daraus könnte man was Antiamerikanisches machen, schreibt R. in sein Notizheft: Wer hier öffentlich Bücher liest, verliert sofort seine Kreditwürdigkeit, während man in Europa Prestige erwirbt, wenn man in der Bar liest.

Neben dem hübschen weißen Leser sitzt ein schöner schwarzer Mann. Ihm wird eben ein kolossaler, ungemein wohlriechender Fisch serviert, an dessen kunstvolle Zerteilung sich der schöne Schwarze macht. Die Bissen spült er mit Whisky hinunter, von dem ein gut gefülltes Glas neben seinem Teller steht. Falsch, kein Fisch, schreibt R. in sein Notizheft, der schöne Mann verzehrt eine große Portion Spareribs. Was Antiamerikanisches könnte man daraus insofern machen, als der Whisky ja gewiß den Mund betäubt, weshalb der Fleischgeschmack, wiewohl kräftig, durchzudringen versäumt. »Sie anerkennen nun mal bloß grobe Reize.«

R. wird ein Beef Sandwich serviert (ohnedies erfüllt ihn hierzulande ein ständiger Appetit auf Sandwiches). Es besteht aus einem aufgeschnittenen Brötchen, das getoastet und sehr groß ist, fast ein kleiner Brotlaib. Auf der einen Hälfte liegen mehrere Tranchen dunklen Rinderbratens, auf der anderen daneben grüner Salat, eine Tomatenscheibe und eine zu Rädchen zerschnittene Gewürzgurke. Auf dem großen Teller außerdem ein Porzellannäpfchen mit Bratensoße, die R. sogleich über das Rindfleisch gießt. Das Porzellannäpfchen mit dem Cole Slaw steht extra. Darstellen, schreibt er in sein Notizheft, wie ein Gericht namens Rinderbraten – dunkel wie die Holztäfelung – in das Sandwich-Konzept einbricht. Unmöglich, die Brötchenhälften zusammenzulegen, mit beiden Händen zu packen und hineinzubeißen; ohne Messer und Gabel wäre man hilflos.

Aber was ist daran Imagination, Phantasieren? Klar, die Beschreibung, schon die Nennung alltäglicher Dinge, vom Hochhaus der *Chicago Tribune* bis zum Porzellannäpfchen mit Cole Slaw, verwandelt sie. »Hinaufmodulieren« nennt das ein amerikanischer Soziologieprofessor namens Goffman: Die beschriebenen oder bloß genannten Dinge hören auf, zur Alltagsrealität zu gehören, sie werden symbolisch, nehmen an Bedeutung zu. Das Hochhaus oder das Porzellannäpfchen stellen mehr als bloß sich selbst dar: nämlich »Amerika«. Keineswegs entsteht der Roman erst mit Sätzen wie: »Es störte R. beim Essen in dieser tiefbraunen Höhle, daß er sich sogleich mit dem

Dies könnte Lagos sein, die Hauptstadt von Nigeria, sagt die Amerikafeindin, Dritte Welt. Eine Brache inmitten einer Stadt, von der unklar bleibt, ob sie aus was anderem als Brachen besteht. Darüber Hochhäuser, in denen sich die herrschende Klasse, kleptokratisch, sowie das internationale Kapital selber feiern. Wer auf den Brachen vegetiert, für den bleiben die Hochhäuser unbetretbar. Arrogante Monumente politischer und ökonomischer Macht.
Aber man erkennt Baumaterial, sagt der Amerikafreund, hier entsteht ein neues Quartier. Die Häuser im Hintergrund sind bloß unfertig, keine Investitionsruinen, den Armen zur Besiedlung (die Zerstörung ist) überlassen. Die hohen und die niedrigen Häuser unterscheiden sich durch die Funktionen: In den niedrigen hat man seine Wohnung, in den hohen seinen Arbeitsplatz, das Büro. Keine Unterscheidung nach Macht und Ohnmacht, herrschende Klasse und das Volk, internationales Kapital und die Einheimischen.
Aber woher wissen Sie das? fragt die Amerikafeindin. Sichtbar ist es doch nicht. Was man sehen kann, das verweist eindeutig auf Lagos, Nigeria, Afrika, Dritte Welt.

schwarzen Mann – schön wie ein Pharao – im Bett sah, einem schneeweißen Bett, versteht sich.«

Dann ist zu beachten, daß der Reisende sich strikt an der Außenseite von Amerika aufhält. Nirgends dringt er wirklich ein; kein Gedanke, sich beispielsweise an der University of Chicago um einen Lehrauftrag zu bemühen, der ihn für länger hierher verpflichtete, so daß er sich richtig einleben müßte. Diese Geschichte lebt davon, daß man sie in der Wirklichkeit nicht praktisch aufsucht, selbst wenn man mitten in den USA sich befindet.

Am nächsten Abend führten mich Professor Renell und seine Frau zuerst – »for a quick bite« – in ein mexikanisches Restaurant (auch so dringt Pilsen in die Innenstadt vor), das, wie ich später dem Reiseführer entnahm, in der Tat damals gerade sehr, sehr angesagt war, Frontera Grill, 445 North Clark Street. Woraus besteht »a quick bite«? Aus einer Serie von vier bis fünf Vorspeisen, die man dann noch einmal unter den Essern aufteilt. Scharfes Zeug.

Dann führten mich Professor Renell und seine Frau aber ins Blue Chicago, Clark Ecke Superior Street, wo an jenem Abend die Grana Louise Blues Band feat. Big Sarah auftraten. Der Raum, wie das Kino es vorschreibt, halbdunkel mit niedriger Decke, die Bar wieder als Rechteck mitten im Raum, eine Reihe von Lampen, die nur den Tresen deutlich erhellen. Das Kino schriebe vor, daß Zigarettenrauch den Raum durchwebt, damit er wie durch einen Weichzeichner gefilmt ausschaut. Aber damals waltete das Rauchverbot (man sah auf den Straßen die Angestellten vor ihren Bürotürmen rasch eine durchziehen, für die Sünde vor die Tür geschickt). Mir ist entfallen, ob ein Kellner die Bestellungen aufnahm und die Bierflaschen brachte oder ob Professor Renell als Gastgeber zu jenem illuminierten Tresen ging und uns versorgte.

Er rekapitulierte noch einmal, wie die Schwarzen schon vor dem Bürgerkrieg auf der rasch gebauten Eisenbahn nach Chicago stürmten und erst recht danach. Wie die Wanderbewegung sich nach dem Zweiten Weltkrieg fortsetzte, wie der Chicago Blues zu einem speziellen Genre sich ausgestaltete (in einen Blues Club zu gehen, darauf hatte ich gedrungen – die anderen Teilnehmer der Konferenz, auf der R. seinen Vortrag über die Amerikanisierung Westdeutschlands hielt, »kannten das alles schon« und gingen zum Abschluß andere Wege).

Es wird mir mißlingen, wenn ich die Musik der Grana Louise Blues Band und den Gesang von Big Sarah zu beschreiben versuche. Gemeinsam mit dem Fett, das sie zum Tanzen brachte, erzeugte ihre Stimme jene himmlischen Schwingungen, die längst zum Weltkulturerbe rechnen als anerkannter Beitrag der African Americans. (So Professor Renell – ja, setzte er fort, wegen des Fettes mache die Nation sich ernstlich Sorgen. Ich hätte ja gewiß bei meinen Gängen durch die Straßen bemerkt, wie viele Amerikaner nicht bloß dick sind, sie sind obese, wandernde Fetthaufen, deren Körper längst jede Kontur verloren. Wampen hängen am Bauch ebenso wie Rücken und den Oberschenkeln herunter. Entwickelt die Evolution eine neue Menschenrasse? Wahrscheinlich geht diese Aufblähung auf falsches Essen zurück. Aber welches? Endloses öffentliches Grübeln.)

1969 wird in einem ähnlichen Lokal – in der Stadt Brewer, Pennsylvania – Harry Angstrom ein Bildungserlebnis zuteil. Er arbeitet in einer Druckerei; seine Frau verließ ihn, um mit einem Griechen der sexuellen Wonnen teilhaftig zu werden, welche die Zeit verbindlich vorschreibt und zu denen sie es im Bett mit Harry nicht bringt. Harry ängstigen, ja ekeln die Schwarzen, die neuerdings gut sichtbar ihr Leben führen, statt sich, wie bisher, vor den weißen Bürgern Brewers, in der Regel deutscher und skandinavischer Herkunft, in abgelegenen Quartieren zu verstecken (Pilsen). Aber das Unglück öffnet Harry Angstrom. Er läßt sich von einem schwarzen Kollegen (der in der Frühstückspause immer seinen Whisky schlürft) in ein schwarzes Lokal einladen (der Kollege will ihm ein dünnes blondes Mädchen, aus bester Familie abgehauen, als Mitbewohner und Lover aufhalsen, »ein Mann braucht eine Fotze«). Und in diesem Lokal hört Harry Angstrom epiphanisch schwarze Musik, die ihn unerwarteterweise patriotisch erweckt.

> Ihre Hände, braune Knochen, liegen so unbeweglich auf den Tasten wie Handschuhe auf einem Tisch; sie sieht hoch, durch blaues Staubgeflimmer hindurch, um sich selbst zu finden, ihre Hände tauchen in andere Melodien: *My Funny Valentine, Smoke Gets in Your Eyes, I Can't Get Started*, sie beginnt sich nun selbst etwas vorzusummen, hin und wieder ist ein Wort dazwischen, gereimte Worte, die aus verhangenen Jahrzehnten herüberklingen, als die Amerikaner sich noch im amerikanischen Traum bewegten, über

ihn lachten, für ihn hungerten, aber ihn lebten, ihn überall summten, diese Musik, die ihre Nationalhymne war. Großstadtpflanzen und Spießbürger, Kreissägen und Overalls, schnell verdientes Geld und gebrochene Herzen, Penthouses in den Wolken, Elendshütten neben Bahngleisen, Höhen und Tiefen, Arm und Reich, Straßenbahnen und die letzten Nachrichten im Radio. Rabbit hatte nur den Abgesang davon miterlebt, als die Welt bereits schrumpfte wie ein Apfel, der fault, und Amerika nicht mehr die fortschrittlichste Kleinstadt der Welt war, nur eine Schiffsreise von Europa entfernt, und der Broadway die Melodie vergaß. Aber hier war all das noch vorhanden, in dieser Musik, die Babe spielte, auf den kleinen Treppen, die sie erklomm, um sie steptanzend und jettglänzend wieder herunterzuwirbeln; es gibt im Grunde keine andere Musik, obwohl Babe sich jetzt an einigen Beatles-Songs versucht, *Yesterday* und *Hey Jude*, sie macht das auf ihre Art, klirrend und klingelnd, wie Eisstücke im Glas. Babe wiegt den Oberkörper, biegt sich zurück; unter ihren Händen finden auch diese neuen Hits zurück zu ihren Wurzeln, zum Ragtime. Rabbit sieht Zirkuszelte, Feuerwerk und Planwagen und ein fast ausgetrocknetes, sandiges Flußbett; das kümmerliche Rinnsal fließt so langsam, daß das einzige sich Bewegende die Zwergwelse sind, die unter der goldenen Decke schlafen.

Kein Gedanke, daß Harry Angstrom, genannt Rabbit, hier erst Mitte 30 und stets von sexuellem Appetit getrieben, die schwarze Babe zu ficken (wie er sagen würde) begehrt. Artig nimmt er, wie es seine Gastgeber wünschen, die blonde Jill mit nach Hause, deren mädchendünner Körper mit Harrys Körpermasse nur schlecht zurechtkommt. Und dann hat Skeeter seinen Auftritt, eine bedrohliche Mischung aus schwarzem Revolutionär und wiederauferstandenem Jesus, und Harry Angstrom muß in seinem Wohnzimmer zuschauen, wie der schwarze Skeeter die weiße Jill fickt (die von seinen Rauschgiftgaben abhängt), und weil ganz Suburbia dabei zuschaut, zündet man Harry Angstroms Haus an, und Jill erstickt. So waren die sechziger Jahre.

Klar, um so etwas auch nur in Spurenelementen zu erleben, müßte man die Oberfläche Amerikas verlassen. Aber warum? Es genügt doch, diese Romane zu lesen, die, wie gesagt, ohnedies den westdeutschen Leser lehrten, daß, wer Romane möchte, sich am besten bei den angloamerikanischen bedient.

Als ich den Blues Club, Clark Ecke Superior Street, später verließ – Professor Renell war schon früher gegangen, »I have to teach tomorrow« –, eilte eine ganze Horde schwarzer Bettler herbei, um mir ein Taxi zu rufen, die Tür zu öffnen, ein Almosen zu erbitten. Die Kleingeldtasche an meinem Portemonnaie klappte auf, und ein Münzensegen klingelte auf das rissige Trottoir. Mit großzügiger Geste übereignete ich das Geld den Bettlern, die sich eifrig ans Aufsammeln machten, und fuhr davon. Beim Hotel angekommen, bestand der Fahrer aber auf einem höheren Trinkgeld, unter Verweis auf meine Bettler-Beschenkung. Da dürfe ich jetzt bei ihm nicht sparen.

Der Präsident, die Welt des Leitartikels

Immer wieder, wenn ich in der Nacht halb aus dem Schlaf hochkomme, höre ich den Regen fallen, schweren Regen, ununterbrochen, ein Rauschen, das den dunklen Raum friedlich umfängt und begrenzt. Dieser Regen – schlafe ich weiter – wird die Hitze draußen unweigerlich beseitigen. Morgen ist die Stadt ganz frisch.

Am anderen Morgen zeigt sich aber, daß es nachts gar nicht geregnet hat, unverändert schwere Sommerhitze. Was in meinen Traum so schön regelmäßig hineinrauschte, war die Klimaanlage, ein Traum, der also perfekt der Theorie entsprach. Er sorgte dafür, daß ich ungestört weiterschlafen konnte. Weder brauchte ich mich über den Maschinenlärm zu ärgern, noch mußte ich mir wegen des Tagesprogramms heute – bei dieser Hitze – Sorgen machen, was beides zu Aufwachen und Grübeln in dem fremden Hotelzimmer geführt hätte.

Am nächsten Tag erzählt die Zeitung von einem Leichnam, den die Polizei in einem der innerstädtischen Blocks ohne Klimaanlage fand, die Hitze tötet arme Schwarze.

Das ist lang her, eine ausführliche Reise, die R. kreuz und quer über die Landmasse der Vereinigten Staaten transportierte. Ein Geschenk, wie es die USA seit langem den Bewohnern anderer Weltgegenden offerieren, damit sie sich mit eigenen Augen ein Bild der Neuen Welt machen. Diese Politik der Geschenke lockte ja im westlichen Nachkriegsdeutschland so viele aus der Finsternis von Schuld, Trauer und Hitlertreue und verknüpfte sie eng mit den Amis; vom Care-Paket, das den Speisezettel verbesserte, bis zum Fulbright-Stipendium, das akademischen Karrieren vorwärtshalf. Nicht zu vergessen der Marshall-Plan, ein üppiger Kredit für ganz Westeuropa – den seitdem jede Region der Welt, wenn sie aus Krieg und Bürgerkrieg wieder auftaucht, von den Vereinigten Staaten fordert (um deren Egoismus zu beklagen, wenn die USA die Forderung abschlagen oder ignorieren). Das hört sich alles sehr nach Leitartikel an – wir kommen gleich darauf.

Jedenfalls hätte R. schon mit 17 Jahren in den Genuß eines solchen Reise-Geschenks kommen sollen. Im Sommer davor nämlich beherbergte seine Familie für sechs Wochen einen gewissen Bill Fox Jr. aus Knoxville, Tennessee. Und als Gegengeschenk hätten R. sechs Wochen dort zugestanden. Freilich konnte ihn Mutter damals unmöglich so weit in die Welt hinein ziehen lassen.

So dauerte es noch 25 Jahre, bis er sich in diesem Hotelzimmer wiederfand, Washington, D. C., die Hauptstadt des Imperiums. Was ihm nach Fotos und Filmen vor Augen stand, versprach eine andauernde Frühlingsfrische, das Weiße Haus, das weiße Capitol, Klassizismus. Als sie nach der Ankunft den Flughafen verließen, hüllte sie sofort die feuchte Schwüle so dicht ein, daß beinahe Atemnot entstand. D. blieb ungläubig: »Bestimmt kommt gleich ein schweres Gewitter.« (Eine Serie von Gewittern hatten sie knisternd von New York nach Washington durchflogen, keine Drinks; auch die Stewardessen verharrten angeschnallt auf ihren Plätzen.) Es war Dr. Siebert, dem im Bus vom Flughafen zur Innenstadt einfiel, daß vor der Zeit der Klimaanlagen die Diplomaten Seiner Britischen Majestät die Tropenzulage erhielten, wenn sie in der amerikanischen Hauptstadt Dienst tun mußten. »Immerhin, Washington liegt ungefähr auf demselben Breitengrad wie Palermo auf Sizilien. Auch bei uns keine kühle Gegend.«

Was ist daran Imagination? Das Hinaufmodulieren von Einzelheiten in Richtung Bedeutung, klar, im Grunde schon die sprachliche Fassung: »Immer wieder, wenn ich in der Nacht halb aus dem Schlaf hochkomme ...« Gleich mehr als nächtliche Unruhe, nämlich Aussagen über den Reisenden, seinen Aufenthaltsort, das Reisen selbst. Solche Sätze evozieren einen Erzählzusammenhang ganz unabhängig von Amerika. Es könnte auch um eine Nacht in Lipica, Slowenien, gehen; oder zu Hause in Berlin (damals Westberlin). Im übrigen aber stand Realitätsprüfung an, womöglich Desillusionierung; deshalb lud man die Deutschen ein; sie sollten näher herankommen an das amerikanische Leben, statt weiterhin die Mythologien (die Imagination) zu kultivieren, die in Europa seit 1945 betreffs der USA so kräftig blühen. Die USA laden dazu ein, sich ein realistisches Bild von den USA zu machen – damals kursierten in der Community, zu der unsere Reisenden gehören, freilich gerade Meinungen, die so etwas für unmöglich erklären: Allein die Einladung, durch die USA zu reisen, verklärt den Blick auf die USA; das Geschenk der Reise verpflichtet zu einem Gegengeschenk.

The Carlyle Rooms, New Hampshire Avenue. Am anderen Morgen traf R. beim Frühstück wieder auf Dr. Siebert sowie D., Theaterfrau, frisch aus der DDR ausgereist, aber weiterhin fest unter deren Einfluß. Draußen beherrschte die Stadt schon weiße Sommerhitze (der Tote in dem ungekühlten Mietshaus), und D. wunderte sich über die amerikanische Unentschiedenheit betreffend Süßes und Salziges: zum Frühstück Buchweizenpfannkuchen mit Ahornsirup und gebratenem Bauchspeck. Dann erzählte sie ihre Schlüsselgeschichte über die USA – aus dem vergangenen Jahr –, die Deckerinnerung gewissermaßen, aus welcher der ganze Erzählfaden sollte herausgesponnen werden können.

Die deutsche Theatergruppe, erzählt D. mit ihrer steifen Oberlippe, empfing die Stadt Montreal auf einer großen Terrasse hinter dem pompösen Hôtel de Ville, auch da Sommerwetter, ein schöner leichter Wind. In der Hand hält man links einen Kelch mit hellem Wein und in der rechten ein Schnittchen mit was Cremigem, und das Leben, so D., könnte so schön sein.

Man beschaut die Skyline von Montreal und möchte, an die säulenbewehrte Brüstung der Terrasse tretend, hoch vom Hôtel de Ville hinab den Fluß erblicken, den Strom, Fleuve St. Laurent. Wir sind in der Neuen Welt, und du möchtest dein Glas erheben und auf das Wohl des Stromes trinken.

Aber was sie von der Terrasse hinab erblickte, so D., und ihre Oberlippe versteifte sich extra, das war natürlich eine Autobahn, die die Stadt längs durchschneidet, kein

Das könnte Delamarche sein, von der Firma Delamarche & Robinson, developers. Bei der Stadt ergatterte er den Auftrag, dies ruinöse Gelände wieder aufzubauen. Es finden sich genug Gegner, die behaupten, er habe es zu diesem Zweck erst selber heruntergewirtschaftet, indem er illegal Grund und Boden aufkaufte, die Mieter aus den Wohnblocks ekelte und die Gebäude so verkommen ließ, daß nur Abriß übrigblieb. Ein eingespieltes Schema, auch in Europa wohlbekannt – als typisch amerikanisch, versteht sich.
Der Mann schaut impertinent genug. Zum Geschäftsmann fehlt nur das weiße Hemd mit Schlips. In ihrer Jugend machten Delamarche und Robinson, französischer respektive irischer Abstammung, den Staat New York unsicher, die Gegend um das Städtchen Rames, das unterdessen längst verschwand (wie unzählige Städte in den USA, von denen nur der Name übrigblieb). Undurchsichtige Gaunereien, unbemerkte Diebstähle, libidinöse Zechprellerei: keine Vorgeschichte, sagte man, eines großen Gangsterpaares. Eher ein großes Komikerpaar, das in Hollywood Karriere macht, mit Späßen, die immer auch drohen.

lebendiges Wasser. So ist Amerika – auch wenn es hier noch Kanada ist. Da möchte einem doch der Champagner im Glas ersterben, so D., und das Cremeschnittchen ist schon lange tot. Unfroh nennt man es, wie D. auflacht.

Da hält man sich an die Menschen.

So trat sie an die Seite des niedlichen Dramaturgen – mit dem sie übrigens seit einem Vierteljahr das Bett teilte –, wirklich ein süßer Junge, der sich intensiv mit mehreren Damen unterhielt (was, so D. grinsend, ohnedies ihr Einschreiten erforderte). Und die ganze Zeit unverdrossen die dienstbaren Geister, die auf der Terrasse des Hôtel de Ville von Montreal Tabletts mit Wein und Cremeschnittchen für die Gäste aus Berlin feilboten!

Also, zurück zu den Damen, die freundlich den hübschen Lover umstanden. Eine, aus Österreich stammend, aber schon als Kleinkind mit den Eltern ausgewandert, also fast echt kanadisch. Im übrigen jung und leicht betrübt. Und? fragte D., was machen Ihre Eltern hier in Kanada? Womit verdienen sie ihr Geld? (So was zähle doch im Kapitalismus, danach müsse man die Einheimischen höflicherweise fragen.)

Mutter, so die betrübte junge Frau, arbeitet in einer Bank.

Und Ihr Vater?

Vater ist tot.

Tot? Das tut mir leid.

Er wurde ermordet.

Ermordet?

Vor fünf Jahren. Im Süden, in Mexiko. Am Meer.

Am Meer?

Von fünf jungen Männern. Irgendwie waren Drogen im Spiel. Die Geschichte wurde nie richtig aufgeklärt. Es kam auch zu keinem Prozeß.

Und Ihre Mutter?

Mutter, erzählt die betrübte junge Frau, war dabei, als Vater erschlagen wurde. Das Geräusch des berstenden Schädels – der Sommer, der Strand – verfolgt sie noch immer. Nachts, in der Stille der Nacht ist es am schlimmsten. Und die kanadischen Nächte sind besonders still. Besonders im Winter.

Und warum, ruft D. komisch, kommen solche Nachrichten aus Amerika immer bei mir an?

Da sehen wir sie am Werk, die Imagination, in ihrer schwarzen Version. Die Vereinigten Staaten von Amerika, das ist das Land, wo junge Gangster unbescholtene Bürger bei ihren Ferien am Meer erschlagen. So kennt man es aus dem Kino (und seit der Wiedervereinigung dringt diese schwarze Version massenhaft aus der DDR in die Bundesrepublik ein, obwohl man in der DDR gar nicht so viel Hollywood zu sehen bekam).

Dabei erkennt man in diesem Fall besonders genau, wie die Imagination sich die Dinge zurechtlegt. Die Geschichte, wie sie D. in Erfahrung bringt, spielt gar nicht in den USA, sondern in Mexiko. Und sie handelt von kanadischen Bürgern, keinen Bewohnern der Vereinigten Staaten (die, der Imagination zufolge, so leicht Verbrechen begehen oder ihnen zum Opfer fallen). Schließlich verzichtet D. darauf – wäre wohl auch schwer zu machen gewesen –, die Tochter zu befragen, was Daddy denn mit Drogen und Dealern zu schaffen hatte. Gewiß schloß der Mord eine längere Geschichte ab; keine erste, zufällige Begegnung mit tödlichem Ausgang. Doch muß D., damit der erschlagene Mann sie und alle unbescholtenen (DDR-) Bürger vertreten kann, jeden Gedanken in seine Verwicklung in Drogenhandel und -konsum ersparen. (R. verzichtete darauf, D. von einem vergessenen, seinerzeit berühmten Theaterstück aus den Fünfzigern zu erzählen, das er als Film kannte, mit Elizabeth Taylor, Montgomery Clift und Katharine Hepburn in den Hauptrollen: Deren schwuler Sohn bringt an einem lateinamerikanischen Strand mittels der entblößten Liz Taylor die einheimischen Jungs so zum Kochen, daß sie ihn jagen und zerreißen – eine Anspielung auf den antiken Sänger Orpheus, den die Mänaden zerrissen. Weil er hinter den Jungs her war? R. ersparte D. die Nacherzählung, weil er sie bloß verwirrt hätte. Zwar machte sie sich schon in der DDR vertraut mit gewissen Ideen über das Theater der Grausamkeit, das Theater als Grausamkeit, aber solche Ideen hier in Washington auf eine Szene anzuwenden, die in Mexiko spielt und von Kanadiern handelt und ihr in Kanada geschildert worden ist, das wäre einfach zuviel. Wie einen Banker österreichischer Herkunft, zu Hause in Montreal, mit Orpheus und schwulen Dämonen an einem lateinamerikanischen Strand verknüpfen? Allenfalls hätte D., der Theaterfrau aus der DDR, eingeleuchtet, daß jene Dämonen symbolisch an den superreichen USA die Armut Lateinamerikas rächen, die dafür verantwortlich seien. Wie so viele hängt D. dem Gedanken an, daß alle Menschen gleichmäßig den Reichtum der Menschheit produzieren und deshalb der Reichtum gleichmäßig allen zugeteilt gehört; bloß funkt ein Dämon – das Kapital, die USA, das US-Kapital – dazwischen und sorgt für schreiende Ungerechtigkeit.)

Aber da wir nun so viel über D., die Theaterfrau, wissen, was gibt es über Dr. Siebert zu sagen? (Abgesehen von der leichten Reizung durch die Oberlippe der D., die ja nicht zu übersehen ist.)

Wir schreiben das letzte Jahr der Präsidentschaft von Ronald Reagan, jenes charmanten alten Filmschauspielers, welcher in den USA ein solcher Erfolg war und in der Community, zu der Dr. Siebert sich rechnete, mit gründlichem Mißtrauen beobachtet wurde. Als Kinogeher wußte Dr. Siebert die ganzen acht Jahre lang zu wiederholen, daß Ronald Reagan nur einen einzigen annehmbaren Film abgeliefert habe – *Tod eines Killers*, »Don Siegels Remake eines Robert Siodmak von 1964« –, aber Dr. Sieberts Mißtrauen, wie das der ganzen Community, zielte darauf, daß die amerikanische Präsidentschaft grundsätzlich einem (mittelmäßigen) Filmschauspieler vorenthalten bleiben müsse. Wählen die Amerikaner einen solchen, stimmt mit ihnen was nicht. Ein interessanter Punkt. Der amerikanische Präsident – dachten die Gegner Ronald Reagans – muß irgendwie mehr Substanz besitzen, als ein (mittelmäßiger) Filmschauspieler überhaupt besitzen kann. »Bei aller Liebe zum Kino.«

Leiteten Ronald Reagan eigene politische Überzeugungen? Oder war er einfach ein Darsteller von Überzeugungen, die ihm ganz andere, unsichtbare Kader soufflierten?

»Es braucht«, triumphierte man in Dr. Sieberts Community, »halt überhaupt keine Politiker mehr, nur noch Darsteller von Politik. Alles Show.«

Es kam hinzu, daß Ronald Reagan und seine Leute den Kalten Krieg mit der Sowjetunion wieder aufnahmen, während Dr. Siebert und seinesgleichen in der Bundesrepublik ein lebhaftes, geradezu persönliches Interesse daran hatten, daß der Westen, daß die BRD die Politik der Entspannung fortsetze (der D., der Theaterfrau, ihre korrekte Aussiedlung aus der DDR verdankte; keine konspirative Republikflucht mehr durch Geheimtunnel unter der Mauer oder im Kofferraum hochbezahlter Schleuser). Hier hatte auch unser Freund R. investiert; er lebte ja in Westberlin, das die Entspannungspolitik in eine Art Hortus conclusus, womöglich Insel der Seligen verwandelte, von allen anderen Orten der Welt gleich weit entfernt, vor allem von der deutschen Geschichte, die – schon wieder Leitartikel! – Berlin, Hauptstadt des Deutschen Reiches, als Ruine zurückließ, in der sich diese Community seit langem gemütlich einrichtete. Was Dr. Siebert und seinesgleichen seitens der Reagan-Administration drohte: daß sich das Verhältnis der BRD und Westberlins zum ersten deutschen Arbeiter-und-Bauern-Staat jenseits der Mauer verschlechterte. Was sie keinesfalls wünschten.

Nicht, daß der erste deutsche Arbeiter-und-Bauern-Staat für Dr. Siebert noch einen Wunschort dargestellt hätte; daß er die DDR für das bessere Deutschland hielt. Vielmehr folgte er einem kategorischen Imperativ, der unterdessen mühsam in Erinnerung gerufen werden muß: Die Systemdifferenzen zwischen West und Ost dürfen auf gar keinen Fall in einem Atomkrieg beseitigt werden. »Lieber rot als tot.« Und die Reagan-Administration, fürchtete diese Community, war nur allzu bereit – immer noch Leitartikel! –, diesen Imperativ aufzugeben und auf dem Gelände der BRD und der DDR, von den USA durch den weiten Atlantik getrennt, einen kleinen Atomkrieg mit der SU auszufechten. Der BRD, DDR und Westberlin restlos beseitigt hätte – heute erkennt man in den Alpträumen von Dr. Siebert vielleicht die schwarze Version unserer Geschichte?

Es kam hinzu, daß in den achtziger Jahren des 20. Jahrhunderts die Vereinigten Staaten von Amerika sich zwar diesen zweifelhaften Präsidentendarsteller wählten, gleichzeitig die Sowjetunion aber an der Spitze der KPdSU über einen Mann verfügte, wie sie ihn in ihrer qualvollen Geschichte – so schien es dieser Community und weiten Kreisen darüber hinaus – die ganze Zeit vermißt hatte, Michail Gorbatschow. Ihm kamen Anteilnahme, Zustimmung, geradezu Verliebtheit in einem Maße zu, das ihn im Westen einige Wahlen hätte gewinnen lassen. Daß jetzt in der SU endlich der Sozialismus beginnt, glaubten wohl nur versprengte Kader; aber daß wirklich was Neues ansteht, erkannten viele. Und so richtete sich weit mehr deutsche Anteilnahme auf die Gorbatschow-Leute denn auf die Reagan-Administration.

So kam Dr. Siebert in jenem Sommer mit einer verwickelten inneren Geographie in die Vereinigten Staaten, um sein großes Reisegeschenk entgegenzunehmen. (Bei R. kaum weniger Verwirrung; schon gar bei der Theaterfrau D.: Erweckte Gorbatschow womöglich auch für die

DDR, die sie erst kürzlich verlassen hatte, neue Hoffnungen? So daß die Emigration vielleicht rückgängig zu machen wäre? Auf jeden Fall befand sie sich in diesem Sommer in den USA vom Heimatkontinent unendlich weit entfernt.) Außerdem aber – und hier erreichen wir die dichteste Zone der Komplikation – vollzog sich unter dem Druck all dieser welthistorischen Umschichtungen im Innern Dr. Sieberts dasselbe. Womöglich bestimmte erst die Wahl Ronald Reagans, des kalten Kriegers, zum amerikanischen Präsidenten das sowjetische Konklave dazu, einen Reformer wie Gorbatschow zum Generalsekretär des ZK der KPdSU zu bestimmen. Womöglich führte das matte apologetische Wohlwollen, das er die ganze Zeit für das sowjetische Imperium hegte, in die Irre. (»Immer wenn jemand die DDR angreift, verteidige ich sie; und immer wenn jemand die DDR verteidigt, greife ich sie an.«) Statt des großen Reformers könnte Michail Gorbatschow der Liquidator der SU sein. Die ganze Zeit waren die kalten Krieger völlig im Recht …

James Billington, Ende 50, trägt trotz der Hitze eine braune Flanellhose und ein Kamelhaar-Jackett (dunkelbraun gestreiftes Hemd, dunkel gemusterte Krawatte). Er ist der Librarian of Congress, und ich muß ihm eine Weile zuhören, bis ich verstehe, daß das ein politischer Posten ist: ein Reaganista! Seinen Namen, erzählt man uns später, machte sich James Billington als Historiker mit Forschungen über Rußland.

Erst lange nach Gorbatschow werde Rußland zu einer neuen, poststalinistischen Identität finden, so Billington.

Um einige Provinzen verkleinert – das Baltikum, die Ukraine – entdecke es in Sibirien neue Kolonisierungsaufgaben (the last frontier) und erfahre dort zugleich eine religiöse Wiedererweckung, die sich innig aus ökologischen Katastrophen ergebe, die Versöhnung von Gott, Mensch und Natur. (But this is a fantasy, of course.)

Kurzfristig (I'm a short-term optimist) gehe es so weiter wie bisher, viel Glasnost, wenig Perestroika, die Gesellschaft überbiete sich in antileninistischer Aufklärung, der Apparat folge unbeirrt den leninistischen Regeln. Gorbatschow halte an dem Grundmuster fest: Er treibt die Intelligentsia in Konflikte mit der Bürokratie, nicht um sich seinerseits zur Intelligentsia zu schlagen, sondern um zwischen beiden zu vermitteln (später gestanden wir uns ein, daß die Beschreibung einleuchtete – bloß hatten wir gar keine neueren Meldungen aus der SU vor Augen). Noch keines der zentralen Stalinschen Gesetze wurde aufgehoben; Gorbatschow formuliere seine Losungen vage, um die Kontrolle zu behalten. Aber so könne es, wie gesagt, kurzfristig weitergehen.

Mittelfristig aber werde, wenn der Umbau des Sozialismus ausbleibt (I'm a mid-term pessimist), eine schwere Krise entstehen, die Gorbatschow durch Außenpolitik zu überspielen versuche: There will be a power play on Germany.

Gorbatschow werde die Wiedervereinigung anbieten: Um den Preis einer Neutralisierung, die kaum auffalle, Deutschland aber von der freien Welt ablöse. Im Lauf der Zeit entgeht den westlichen Bündnispartnern, daß Deutschland allmählich ein neuer Typus Satellitenstaat wird, keine direkte Repression seitens der SU, versteht sich, aber ein dichtes Netz vertraglicher und geschäftlicher Verpflichtungen, das die außenpolitische Beweglichkeit drastisch einschränkt ... Es folgen wüste Porträts von SPD-Politikern (Egon Bahr), die – statt der SU entschieden mit Forderungen gegenüberzutreten (wie Reagan) – bei Gorbatschow um eine Audienz nachsuchen und ihre Loyalität bekunden.

Das wäre doch klasse! strahlt D., als wir durch die Abendhitze zu dem äthiopischen Restaurant wandern, das vereinigte Deutschland als wichtigster Bündnispartner einer demokratisch-sozialistischen Sowjetunion. Dann wäre endlich Schluß mit der Abhängigkeit von Amerika, dann wäre die BRD kein Satellitenstaat der USA mehr!

In solchen Perspektiven wird mir ganz schwindlig, stöhnt Dr. Siebert komisch, nach dem Meteoriteneinschlag in Sibirien ein ökologisches Landschaftswunder, das Rußland religiös erweckt, und Gorbatschow, der den Deutschen die Wiedervereinigung schenkt, die sie gar nicht wollen. Müssen wir unbedingt zum Äthiopier? Da gibt's doch bloß Hackfleisch – in Richtung D. – mit Fensterleder. Sie lacht.

Das schrieb R. also sorgfältig in sein Notizheft, nächtens im Hotel (The Carlyle Rooms, Zimmer 403), was der Librarian of Congress über die Zukunft wußte, und es kam ihm in den folgenden Jahren oft ins Gedächtnis, vor allem die Wiedervereinigung Deutschlands durch Gorbatschow, über die sie dann beim Äthiopier über Hackfleisch mit Fensterleder noch so lange gespottet haben.

Einsamkeit und Freiheit. Man kann einfach vorbeifahren mit dem Auto, an Straßenschildern, an den Passanten, an anderen Autos, am See.
An dem See vorbeizufahren mißlingt freilich. Denn der See geht immer weiter. Auch wenn die Straße, die ihn eine ganze Zeit begleitet, aufhört und abbiegt. So daß am Ende der See alle überholt.
Handelt es sich noch um einen See oder schon um ein Meer? Michigan-See. Irgendwer sagt, es sei typisch für die USA, daß sie ein Wasser von der Größe eines Meeres bloß als See bezeichnen. »Dem Ami ist einfach nix groß genug.«
Einsamkeit und Freiheit. Wer mit dem Auto an diesem Meer vorbeifährt, bis das Meer das Auto abdrängt und überholt, bekommt unendlich viel davon. Irgendwer erzählt, daß er deswegen immer wieder von Europa nach Amerika reist. »Wir haben hier keine bleibende Statt. Der Mensch ist nur zu Gast auf Erden. Hier wurzelt niemand fest. Alle sind ununterbrochen unterwegs. Hier bleibt niemand zwischen Röhrenfurt, Körle und Guxhagen hängen. Oder Heidelberg, Mannheim und Karlsruhe. Und wer zwischen Chicago, Cleveland und Detroit hängenbleibt, der bekommt unendlich viel mehr.«

Er spottete damals im Namen der Realität. In ihr erkannte er die DDR so fest begründet, daß deren Auflösung in der BRD undenkbar blieb. Der Librarian of Congress vergnügte sich mit gehaltlosen Spekulationen ohne Wirklichkeitsgewicht – eine Einschätzung, die sich ihrerseits auflöste in den nächsten Jahren. Zwar verlief die Wiedervereinigung keineswegs nach den Vorgaben von James Billington, Gorbatschow offerierte den 9. November 1989 nicht als Geschenk an die Deutschen, das entsprechende Gegengaben hervorlocken sollte. Eher öffnete sich die Mauer aus Versehen, weil die Direktiven der verwirrten SED unklar waren: Kein wohlgestalter Wille führte die Entscheidung herbei. Auf den Gedanken, daß das wiedervereinigte Deutschland ein camouflierter Satellitenstaat Rußlands sei, kamen im Jahr 2003 gewiß manche Kader der Republikanischen Partei zurück, als die BRD gemeinsam mit Rußland den USA Widerstand leistete wegen des Krieges im Irak. »I told you.« (Daß die BRD dieser Widerstand mit Rußland einte, befriedigte D., die Theaterfrau. Überhaupt klebte sie an den alten Loyalitäten: Das Heimweh nach der verschwundenen DDR – die sie doch freiwillig verlassen hatte nach langen bürokratischen Mühen – plagte sie Jahr um Jahr heftiger. Vermutlich beendet sie ihr Leben in dem Gefühl, der real existierende Sozialismus sei ihr persönliches Kindheitsparadies gewesen, Combray, auf der Suche nach der verlorenen Zeit.)

Aber weiter mit James Billington. Zwar verlief die Wiedervereinigung anders, aber er prognostizierte das Faktum. Was in Dr. Siebert die Bereitschaft förderte, Ronald

Reagan für einen bedeutenden, nun ja: erfolgreichen Präsidenten zu halten. »Dumm waren sie nicht, die Reaganistas!« Die Konversion ließ ihn im Jahr 2003, als die USA gemeinsam mit den Briten den Irak eroberten, in seiner Community zu den verschwindend wenigen gehören, die den Krieg, nun ja: nicht ablehnten. Viele Abendessen, bei denen er einfach den Mund hielt, um keine Wutanfälle gegen die USA zu provozieren. Manche Kader, spottete Dr. Siebert unter Gleichgesinnten, kehrten 30 Jahre später zum antiimperialistischen Kampf zurück, auch wenn sie sorgfältig vermieden, die Partei Saddam Husseins so deutlich zu ergreifen wie damals die Partei des Vietcong. »Objektiv«, wie sie früher gesagt hätten, freilich schon, ereiferte sich Dr. Siebert, denn welche dritte Position stand offen? »Sie glaubten, sie könnten gleichzeitig gegen Saddam und den amerikanischen Präsidenten demonstrieren, im Namen der Menschheit!« Nur ein sehr kleines Publikum stand Dr. Siebert für solche Wutanfälle zur Verfügung …

Wohin uns James Billington, Librarian of Congress, Historiker Rußlands, nachhaltig verlockt, das ist also die Welt des Leitartikels, grandiose Perspektiven im Weltmaßstab, »the vision thing«, wie Ronald Reagans Nachfolger als amerikanischer Präsident es ironisch nannte. Zwar steht die ökologisch-religiöse Wiedererweckung Sibiriens noch aus, aber James Billington selbst nannte sie ja »a fantasy, of course«. Von D. müssen wir wenigstens andeuten, daß ihr unterdessen der Gedanke, von Rußland gehe eine neue Spiritualität aus, lieb und teuer wird, wie schwach und blaß er sich auch regt (daß ihr diesen Gedanken seinerzeit der republikanische Librarian of Congress einpflanzte, ist ihr ganz entfallen).

Das ist die Regel, erklärte man damals den Besuchern aus der BRD (notierte R. in sein Heft), der amerikanische Präsident umgibt sich mit Professoren der Geschichte, Politik und Ökonomie, die vor ihm jene Welt des Leitartikels aufbauen, damit er seine Absichten und Möglichkeiten in dessen Spiegel erfasse. So werde schon der Präsidentschaftskandidat der Demokraten verfahren, aller Wahrscheinlichkeit nach ein gewisser Michael Dukakis, der kleine Mann mit dem dicken, sauber gescheitelten Haar, für den R. die Anhänglichkeit einnahm, die er seit seiner Kindheit der Demokratischen Partei entgegenbrachte, sowie Dukakis' Ähnlichkeit mit dem Filmregisseur Martin Scorsese sowie der Aufkleber, mit dem ein griechisches Restaurant in Westberlin sein Schaufenster nach den ersten Vorwahlen zierte: »Mike Dukakis for President«. Eine hübsche Aufgabe für die Imagination: Griechen in Westberlin werben für den Präsidentschaftskandidaten der Demokraten, weil er griechischer Herkunft ist, und das animiert einen deutschen Einwohner Westberlins, der bald eine große Reise in die USA antritt. Malen Sie es aus!

Aber wir befinden uns immer noch in der Welt des Leitartikels, wie sie James Billington, Librarian of Congress, an jenem heißen Sommernachmittag den Besuchern aus der BRD öffnete mittels seiner Vision des postsozialistischen Rußland. Eine Welt, wie die Besucher lernten, in die den amerikanischen Präsidenten regelmäßig seine Berater, Professoren oder Journalisten oder wer immer, stellen. Auch fernab von diesen Kadern formuliert man gern am Leitartikel, der aber grundsätzlich für das Ohr des Machthabers bestimmt ist. »Präsident Reagan wird sich überlegen müssen, ob er weiterhin auf Gorbatschow setzt, obwohl dessen Reformpolitik anhaltend schwächelt« oder »Nach all den hehren Versprechungen, mit denen Präsident Richmond vor dem Krieg für seine Politik warb, kann er jetzt Libyen unmöglich die Monarchie verweigern.« Aus solcherart Sätzen besteht die Welt des Leitartikels. Auch unsere Freunde tauschten sie fleißig aus an jenem Abend in dem äthiopischen Restaurant bei Hackfleisch in Fensterleder und mexikanischem Bier.

Den Unterschied macht, ob man als Erzeuger solcher Sätze mit ihnen tatsächlich zum Ohr des Machthabers gelangt; oder ob man sie nur unter seinesgleichen ausstößt, wo sie dann friedlich oder heftig verdampfen, was eine eigene Form von Geselligkeit darstellt (Stammtisch). Im Lauf der Jahre ändern sich dabei die Inhalte (Gorbatschow, Libyen); die Form ändert sich niemals. Verharren die Reden im Umkreis des Stammtischs, bleiben sie praktisch folgenlos, dienen einzig dem Gefühlsleben der Anwesenden. Redet wer so vor den Ohren des Machthabers – nun ja. Wobei halt der Stammtisch unablässig so formuliert, als höre der Machthaber ihm aufmerksam zu. Das fiel unserer Theaterfrau auf, als sie sich kürzlich mal wieder mit ihrem Dr. Siebert in einer von den Bars in Berlin-Mitte traf: Wenn's um Politik geht, reden wir, als lausche am Nebentisch heimlich Harun al-Raschid, der Kalif von Bagdad, der sich inkognito unter die Leute mischt, um ihre wahren Meinungen zu erfahren. Sie schluckt ordentlich von ihrem Radeberger Pilsner; zur Welt der Cocktails wahrt sie die demonstrative Ostdistanz.

Kein Zweifel, als den Kalifen von Bagdad müssen wir seit einiger Zeit den amerikanischen Präsidenten erkennen, »der mächtigste Mann der Welt«, wie es im Leitartikel heißt. An ihn richten sich die Leitartikelsätze, wer immer sie äußert, mit Vorliebe; er scheint – wie Harun al-Raschid – ihr erwählter Adressat. Unverkennbar verfehlen ihn diese Sätze, er leidet ja nicht an Beratermangel. Aber das scheint die Leitartikler ganz unberührt zu lassen. Hauptsache, sie bringen ihre Sätze, ihre Mahnungen, Warnungen und Ratschläge nach draußen. Vielleicht trägt sie der Äther ja doch zum Kalifen von Bagdad: Es genügt, daß man das imaginieren kann.

Jeder zweite Mensch in dieser besten aller Welten ist unterernährt. Jeden Tag sterben 12 000 Menschen an Hunger, das sind 4,4 Millionen im Jahr; demnächst, so hat es die UNO-Organisation für Ernährung und Landwirtschaft errechnet, werden es neun Millionen jährlich sein. Die Reichen werden immer reicher, wie bekannt, die Armen in Asien, Afrika, Lateinamerika immer ärmer. Immer mehr Menschen haben immer weniger zu essen. Und das reichste Land der Erde, Amerika, das viel getan hat, aber nicht genug, wird durch seine »arrogance of power« (so der US-Senator Fulbright) daran gehindert, den Kampf gegen Armut, Krankheit und Unwissenheit so effektvoll zu führen, wie es notwendig wäre …

So beginnt am 5. April 1968 der Leitartikel in einer angesehenen Schweizer Wochenzeitung. Ja, am 5. April 1968. August E. Hohler kommt jetzt also nicht auf den Irakkrieg zu sprechen oder den in Afghanistan oder Libyen, keineswegs: Was seine Klage über die Indifferenz des Kalifen von Bagdad angesichts des Weltelends auslöst, das ist die Fernsehansprache, mit der Johnson, wie damals der Kalif von Bagdad hieß, seinen Verzicht auf eine zweite Kandidatur bekanntgab. (Das erste Mal gewann er 1964 haushoch gegen einen Mann namens Goldwater; ins Amt kam er 1963 als Vizepräsident, weil Lee Harvey Oswald kurz zuvor den Präsidenten Kennedy erschossen hatte. Fest sitzt das Foto im Gedächtnis von Dr. Siebert und seinesgleichen: wie Johnson, eingerahmt von seiner Frau und Jacqueline Kennedy, noch in Dallas den Amtseid ablegt, an Bord der Air Force One.)

Daß Präsident Johnson verzichtete, erklärte er mit dem Vietnamkrieg und den Konflikten, die er in den USA selbst hervorrufe. Das Elend der Welt, das der Schweizer Leitartikel beschwor, hätte den amerikanischen Präsidenten kaum zum Aufgeben bewogen. Er sah sich und seine Nation nicht als den universalen Wohltäter – der zurücktritt, wenn's beim Wohltun hapert. Daß der amerikanische Präsident der universale Wohltäter ist, offenbar lenkt dies Phantasma den Schweizer Leitartikler. Der Präsident des reichsten Landes der Erde sollte mittels dieses Reichtums die Welt insgesamt glücklicher machen. Das ist ihm mißlungen. So gibt er auf.

Immerhin, 1968 hielt ein Leitartikler den Präsidenten der USA für den universalen Wohltäter. Heute fände man leicht jede Menge Leitartikel (und Leserbriefe), die ihn zum universalen Missetäter erklären. Wie gesagt, unsere Freundin D. neigt zu dem Glauben, der Reichtum der USA verdanke sich unmittelbar dem Raub; der Präsident ist nicht Harun al-Raschid, er ist Darth Vader: Die ganze Welt sucht er dem Imperium zu unterwerfen (bevor er, von seinem Sohn geleitet, auf den Tugendpfad zurückfindet).

Kurzum, wir befinden uns die ganze Zeit in der Imagination. Den Leitartikel und den Leserbrief (als dessen billigere Imitation) muß man als Akt des Phantasierens erkennen: dem Kalifen von Bagdad mal so richtig die Meinung sagen. Damit er umdenkt. Und/oder zurücktritt. Unzweifelhaft richten sich nicht alle Leserbriefe und Leitartikel an den Präsidenten der USA. Aber wenn es darum geht, die Rolle des Kalifen von Bagdad zu besetzen, ist er die erste Wahl. Der Bundeskanzler, sogar der Papst fallen dagegen ab. Insofern gehört der Präsident als Phantasiegestalt unbedingt zu unserer Geschichte. Daß er zuweilen als Darth Vader auftritt, ruft sogleich deren schwarze Version herbei.

Hierzu ein besonders scharfer Leitartikel, ähm, Leserbrief. Klaus Wendrock aus Bad Sachsa, am 17. Mai 2003 in einer deutschen Tageszeitung. Falls Ihnen das Gesäusel hier auf den Nerv geht. Sonst mögen Sie ihn überblättern.

> Der Krieg der USA gegen Irak war zweifellos ein imperialistischer, völkerrechtswidriger Krieg. Es wird dabei oftmals vergessen, daß die imperialistische Politik der USA bereits 1898 begann: Lenin bezeich-

Dies könnte Renell sein, seit langen Jahren Professor für Gesellschaftswissenschaften – deshalb das Porträt vor Wasser und Stadtlandschaft – an der Universität. Ruhm bedeckt ihre soziologische Tradition, vor allem, wie man die moderne Großstadt bearbeitete. Statt sich ihr von außen zu nähern und Verfahren zu entwickeln, wie der Beobachter verläßlich Distanz wahrt, sollte er in sie eintauchen. Wie der Zeitungsreporter sich in Bars herumtreibt, um schmutzige Geschichten aufzutreiben; zweifelhafte Gesellschaft sucht, wo sich die prägnanten Einsichten finden, die man nur unten gewinnt. Verbrecher, jedenfalls Außenseiter, stellen die wahrhaft kompetenten Sozialforscher. Aus dieser Schule gingen auch einige große amerikanische Romane hervor.

Renell kennt sich glänzend aus. Vor Jahren schrieb er das Buch, das ihm die Professur eintrug: Renell zeigte, wie die Schreibmuster von Zeitung und Roman jene Soziologen in die Irre führten. Statt in das lebendige Gewebe der Großstadt wirklich einzudringen, wie sie immer wieder deklarierten, verwandelten sie all ihre Beobachtungen in literarische Erfindungen.

nete diesen Krieg, das heißt den spanisch-amerikanischen Krieg von 1898, als den ersten imperialistischen Krieg in der Periode des Monopolkapitalismus.

Dieser Krieg begann mit der unprovozierten Einmischung der USA in den kubanischen Aufstand der dortigen Volksbefreiungsbewegung gegen die Kolonialmacht Spanien. Die USA erklärten Spanien, damals bereits keine Großmacht mehr, den Krieg, um Kuba in die ökonomische und politische Abhängigkeit der USA zu bringen und um der kubanischen Freiheitsbewegung die Spitze zu nehmen. Es war für die USA ein leichtes, Spanien zu besiegen. Kuba wurde aber anschließend kein wirklich freier, selbständiger Staat, sondern praktisch ein US-Protektorat. Die USA behielten sich in einem Zusatz zur kubanischen Verfassung, dem sogenannten Platt-Amendment, ein Interventionsrecht in Kuba im Falle der Bedrohung ausländischen Eigentums vor. Erst mit dem Sieg der kubanischen Revolution von 1959 wurde diese Abhängigkeit beseitigt.

Ausgehend vom Jahre 1898 bis zum heutigen Tage erfolgten weitere US-Interventionen in Mittel- und Südamerika sowie in Asien. Die Vereinigten Staaten intervenierten u. a. in Nicaragua (Einsatz von Marineinfanterie) im Jahre 1912 sowie von 1925 bis 1933, was mit einer zeitweiligen Besetzung des Landes verbunden war, sie sprengten mit Hilfe von Söldnern Panama aus dem kolumbianischen Staatsverband heraus (Anfang des 20. Jahrhunderts).

In Guatemala wurde 1954 der fortschrittliche bürgerliche Präsident Arbenz Guzman durch eine unter Beteiligung der CIA vorgenommene Intervention von Söldnertruppen, nachdem er den Einfluß der United Fruit Company bekämpft und an arme Bauern Land hatte verteilen lassen, gestürzt. 1964 bis 1973 intervenierten die USA in Vietnam zugunsten der in Südvietnam befindlichen reaktionären, die Interessen des Großgrundbesitzes und des Großkapitals vertretenden Regierung Ky-Thieu. Mit Unterstützung amerikanischer Kreise (einschließlich der CIA) wurde 1973 in Chile die Volksregierung unter Präsident Allende gestürzt und anschließend ein Terrorregime errichtet, dem Tausende Demokraten zum Opfer fielen.

Diese Kette ließe sich noch weiter fortsetzen (Unterstützung der von den USA ausgerüsteten Contras gegen die progressive Sandinistenregierung). Alle diese Interventionen und kriegerischen Eingriffe dienten den US-Kapitalinteressen, der Verhinderung von Reformen. In keinem Falle wurde in den betreffenden Ländern die von den USA immer wieder – in Worten – geforderte Demokratie hergestellt.

Daß eine solche Erzählung das Ohr des Kalifen erreicht und ihn umstimmt, wäre ein Wunder. Vor allem teilt die Erzählung mit, daß Klaus Wendrock (mit Lenin) seine dunklen Machenschaften durchschaute: Die Menschheit als ganze müßte sich versammeln, um den Kalifen – Johnson oder Bush oder Richmond oder wie er gerade heißt –

zu stürzen und das Imperium auszuradieren. Denn daß es von der dunklen Seite der Macht abläßt, schließt diese Konstruktion der Geschichte aus.

Damals, als unsere Freunde ihr großes Reisegeschenk genossen, schauten sie im Fernsehen zu, wie Michael Dukakis die Rede hielt, mit welcher er seine Nominierung durch die Demokratische Partei akzeptierte, ein ritueller Akt. Zuvor servierte man Dinner in dem anmutig klassizistischen Haus in Georgetown (das nur aus solchen anmutig klassizistischen Häusern zu bestehen scheint). Besonders mundete unserem Freund R. das schwarze Bohnengemüse, süß und scharf, das zu der pochierten Hühnerbrust gereicht wurde. Dann versammelten sich Gastgeber und Gäste, um die Vorführung des Kandidaten zu beaugenscheinigen, ein kunstvoll einstudierter Auftritt, mit dem er sogleich um einen ordentlichen Batzen Wählerstimmen warb und Amerika sehen ließ, um wen es sich handelte. Stand and deliver.

Gut gemacht! lobte hinterher der altlinke Politikprofessor. Vor allem genug Wärme und Spontaneität gezeigt, denn Michael Dukakis galt als mechanical man. Unserem Freund R. blieb vor allem in Erinnerung, wie er am Ende Spanisch zu reden begann, was die Zuschauer in dem Haus in Georgetown besonders lobten. Äußerst selten beherrsche ein amerikanischer Präsident neben Englisch eine andere Sprache; außerdem gewinne das unter den Latinos Wähler (Vorausdeutung auf Pilsen). Unsere Freunde erhielten Einblick in das Grübeln über Wählerpotentiale: Den Präsidenten bestimmt gewohnheitsmäßig nur ein ganz kleiner Prozentsatz der Amerikaner, und wie man die Nichtwähler gewinnt, bildet das Thema unendlicher Kalkulationen. Wiederholt streifte D. »wie unabsichtlich« Dr. Siebert mit ihrem sommerlich nackten Oberarm. Des weiteren lernten unsere Freunde, daß amerikanische Dinnerpartys rasch enden. Irgendwann ist Schluß, wird abgeräumt, verabschiedet man sich. Keine unendlichen Verbrüderungen wie in Westberlin, bei denen man noch ein Glas und noch eins und noch eins leert. Der Amerikafeind dürfte hier die puritanische Selbstkontrolle, die schon den kleinsten Exzeß verbietet, entdecken.

Mike Dukakis for President, unser Freund R. verfolgte im Lauf des Jahres unter Schmerzen, wie es mißlang. (Seit 1953, als ein gewisser Adlai Stevenson gegen Dwight D. Eisenhower antrat, votiert er innerlich für die Demokraten, ein ebenso angelegentliches wie imaginäres Engagement.) Zunächst brachte Michael Dukakis die Nominierung in Atlanta einen hübschen Stimmenvorsprung bei den Umfragen ein. Aber das zeigte bloß, wie die Wähler mit dem Gedanken spielten, Mike Dukakis for President zu wählen. Das Gedankenspiel ist noch keine Entscheidung.

Warum genau George Bush dann 54 Prozent der Wählerstimmen abkriegte und der gute Michael Dukakis nur 46 Prozent – die Wahlmänner von 10 Bundesstaaten im Unterschied zu denen von 40, ein richtiger Absturz –, die Zeitungsartikel, die unser Freund R. seinem Zeitungsarchiv einverleibte, können es nur undeutlich erklären. Das eine Foto zeigt Bush, wie er ein kleines Schweinchen in die Höhe hält und es mit einem Gesichtsausdruck, der Erstaunen spielt, mustert. Mein Gott, was drückt man mir hier Bismarck, South Dakota, in die Hand? Das andere Foto zeigt Dukakis im Geschützturm eines Panzers stehend, den Helm mit den Earphones und dem Kinnband auf dem Kopf, vermutlich um das Exempel zu statuieren, daß Demokraten keine Weicheier sind. Irgendwie leuchtete am Ende George Bush als Präsident besser ein denn der gute Gouverneur von Massachusetts (von dem man seitdem nie wieder was hörte). George Bush qualifizierten eine lange politische Karriere und eine feine Abkunft: Die Familie Bush – erklärte man unserem Freund R. – sei sogar mit dem englischen Königshaus verwandt. Der kleine Mann mit dem griechischen Namen mobilisierte einfach zu wenig Energie, stand in den Leitartikeln zu lesen, um George Bush zu schlagen, dessen Lebensgeschichte als nächste Stufe natürlicherweise das Präsidentenamt vorsah. Wie man das macht, die nötige Energie mobilisieren, demonstrierte vier Jahre später der gute Gouverneur von Arkansas, alles andere als ein Aristokrat, und der abgewählte Präsident Bush, der Adlige mit den exquisiten Manieren, kotzte bei einem Staatsbesuch in Japan erregt und verzweifelt dem Premierminister auf den Schoß. Alles Geschichten, die unser Freund R. mit starker Anteilnahme verfolgte. Kein rein phantasmatisches Engagement, insofern wenige Jahre zuvor der Präsident Bush dem Zusammenbruch der SU und der deutschen Wiedervereinigung vorgesessen hatte, die Westberlin zum Verschwinden brachte und unseren Freund R. immer wieder an den Leitartikel denken ließ, den James Billington an jenem heißen Sommernachmittag in Washington, D.C., vor den Besuchern aus der BRD improvisierte.

Genau besehen blieb unserem Freund R. undeutlich, warum er sich Mike Dukakis for President wünschte. Vielleicht bloß wegen des Vornamens, den er mit ihm (und Gorbatschow) teilte? Sowie der grundsätzlichen Treue zur Demokratischen Partei, okay. Unmittelbar stachelt das Präsidentenamt die Phantasie: daß man sich ausgucken darf, wer für vier Jahre König werden soll (und dann vielleicht noch einmal für vier). Wer seine Kindheit und Jugend im Nachkriegsdeutschland verbrachte, lernte diese Königswahlen mit Spannung verfolgen, zumal die entsprechenden Herren so ganz und gar nicht nach König aussahen, der gute Harry Truman gegen Thomas Dewey, Eisenhower gegen den guten Stevenson, Johnson gegen Goldwater, Richard Nixon gegen den guten Hubert Humphrey und den guten George McGovern, Jimmy Carter gegen Gerald Ford, Ronald Reagan gegen den guten Carter und den guten Walter Mondale, George Bush gegen Michael Dukakis, der gute Bill Clinton gegen George Bush: Ich brauche nicht nachzuschauen, ich finde sie alle in meinem Gedächtnis vor. Nur einer war wirklich der König, und den brachten sie um, John F. Kennedy. Und wenn Hillary Clinton Präsidentin ist, träumt unsere Freundin D., die Theaterfrau aus dem Osten, wird sie auch erschossen ... Die westdeutsche Geschichte hat sie erreicht. Stets steht uns der amerikanische Präsident viel zu nahe.

Darth Vader, die dunkle Seite der Macht, die schwarze Version. Zwar verzichteten Richard Nixon ebenso wie Ronald Reagan darauf, den Planeten (Europa) in einem atomaren Krieg zu vernichten (wie es ihnen Dr. Siebert und seinesgleichen zutrauten). Aber in dem Jahr, da unser Freund R. sein großes USA-Reisegeschenk entgegennahm und Michael Dukakis gegen George Bush antrat, da drohte Darth Vader in einer anderen Gestalt: als religiöser Fundamentalist und evangelikaler Prediger, der die amerikanischen Massen entzückt und verführt und auf dem besten Wege ist, die Republikanische Partei in seine Gewalt zu bringen.

Unser Freund R. verleibte seinem Archiv einen Zeitungsartikel über Pat Robertson ein, der bei den Vorwahlen gegen George Bush kandidierte, mit beunruhigendem Erfolg (wie R. und die Seinen meinten), ein freundlich rundgesichtiger Mann von knapp 60 Jahren, der sein vieles Geld als Fernsehevangelist verdiente und vor allem in den Südstaaten insbesondere um die Nichtwähler warb, die sogenannten armen Weißen. Seine Parolen als rechtsradikal einzustufen, lernte unser Freund R. ebenso wie Dr. Siebert, mißlingt dem Deutschen auf Anhieb. Den Kommunismus auf Kuba und in der SU beseitigen, die Abtreibung verbieten: okay. Steuererleichterungen, um die Familie zu stärken, Privatisierung der Sozialversicherung: nach deutschen Vorstellungen kein rechtes Gedankengut. Isolationismus, der imperialistische Maßnahmen ausschließt: »Die Europäer sagen, sie fürchten sich nicht mehr vor den Russen, sie hätten Vertrauen zu Gorbatschow. Also gut, dann ziehen wir halt unsere Truppen zurück, und die Europäer können für ihre eigene Verteidigung aufkommen.« Daß Pat Robertson – unter dessen Vornamen sich auch »Marion« befindet, wie bei John Wayne – gar kein Politiker ist und nie ein öffentliches Amt innehatte, müßte Lesern mit anarchistischen Restneigungen entgegenkommen. Freilich irritiert der Job des Fernsehpredigers und daß man damit viel Geld verdienen kann, läßt den Amerikafeind mal wieder den Kopf schütteln. Pat Robertson habe 1980 den Weltuntergang für 1982 prophezeit, und die Starfotos zeigen ihn in Gesellschaft von Reitpferden und weißen Riesenpudeln ... Er hat keine Chance, resümierte der Reporter, der ihn bei seiner Kampagne in South Dakota begleitete, weder bei den Schwarzen noch bei den armen Weißen. Es geht bloß um das Schaudergefühl, daß die amerikanischen Wähler einen Fernsehprediger mit apokalyptischen Neigungen zum »mächtigsten Mann der Welt« bestimmen könnten. Für Deutsche rechnen fundamentalistische Fernsehprediger ohnedies schon zum Fantasy-Personal.

Noch eine zweite Geschichte dieser Art archivierte unser Freund R. damals. Ein Kollege von Pat Robertson, namens Jimmy Swaggart, nutzte seine Show für eine theatralische Beichte. Tränenüberströmt – man sieht es auf dem Foto – gestand er, immer mal wieder bei einer Prostituierten sich den Geschlechtsfreuden hingegeben zu haben. Er bat seine Frau – »niemals hat Gott einem Mann eine bessere Gehilfin und Gefährtin gegeben« – um Verzeihung, und dann der Reihe nach das ganze Team, bis hinunter zu den Kameramännern und Kabelträgern.

Die Geschichte handelte von Heuchelei. Auch Fundamentalisten kaufen sich hin und wieder einen Blowjob, statt korrekt den Sexualakt mit ihrer gesetzlichen Ehefrau auszuführen (was sie ihrer Gemeinde predigen). Vor allem aber handelt die Geschichte von Schadenfreude, denn

Jimmy Swaggart hatte ein Jahr zuvor einen Kollegen namens Jim Bakker wegen derselben Verirrung denunziert und ruiniert; ebenso einen gewissen Marvin Gorman, der daraufhin Jimmy Swaggart von einem Fotografen beschatten ließ. Möglicherweise erpreßte er Jimmy Swaggart mit den Bildern; dann schickte er sie an die Kirchenleitung. Durch das öffentliche Schluchzen suchte Jimmy Swaggart die Geschichte zurück in die eigene Hand zu bekommen. Pat Robertson deutete an, George Bush habe die Affäre organisieren lassen, um ihm, Pat Robertson, bei den Vorwahlen im Süden zu schaden (alle Fernsehprediger sind Lustmolche). »So wie ich die Leute um Bush kenne, gibt es nichts, was sie nicht auf die dreckige Art erledigen würden.« Und Sie sollten wissen, daß unter den Romanen, die unser Freund R. abends in seinem Hotelbett bei der großen Reise weglas, einer namens *Elmer Gantry* sich befand. Darin noch kein Fernsehen, kein Schweinskram, aber ein wüstes Intrigenspiel um Macht und Geld unter den frommen Männern (und Frauen), die als Prediger durch die Lande ziehen. In dem Film nach dem Roman darf man Burt Lancaster als Elmer Gantry bewundern, der natürlich Jimmy Swaggart und Jim Bakker und Pat Robertson an Schönheit und Charisma mühelos übertrifft.

Unser Freund R. lernte auf dieser Reise, daß man sich in den USA unter Rechtsradikalismus was anderes vorzustellen hat als in Deutschland, und so archivierte er ein paar Jahre später die Geschichte von Bo Gritz, um jederzeit ein Exempel anführen zu können.

Bo Gritz, 56, Oberstleutnant a. D., kämpfte in Vietnam

Ängstliche Blicke richten seit dem 11. September 2001 der Amerikafeind ebenso wie der Amerikafreund auf die Turmhäuser, in gleich welcher Stadt er sich befindet. Während sie anzublicken, von unten nach oben mit den Augen an ihnen emporzugleiten ihn früher begeisterte.

Einst verkörperten die Wolkenkratzer glückliches Selbstgefühl, das sich sofort auf den Betrachter übertrug (und das der Amerikafeind an den USA so verabscheute, »dieser juvenile Optimismus«, der sich so ekelhaft mit Patriotismus vermischt). Allein der freche Name für einen solchen babylonischen Turm, »Wolkenkratzer«!

Aber seit dem 11. September schauen die Hochhäuser – wie Therese Berchtold als erste bemerkte – gefährdet und schutzlos aus. Sie können sich weder ducken noch die Hände vors Gesicht schlagen. So viel Glas, um es zu zertrümmern. Und eben jetzt, während ich emporschaue, könnte der nächste Angriff kommen. Haben die Vereinigten Staaten, denkt der Amerikafeind, das Elend der Welt auch nur um ein Quentchen vermindert? So wäre auch ich, emporschauend, sofort in Lebensgefahr.

und rühmte sich, persönlich 400 Vietnamesen getötet zu haben. Nach dem Krieg unternahm er verdeckte Operationen in dem Land, um kriegsgefangene US-Soldaten zu befreien – Bo Gritz gilt als Realvorbild der Filmfigur John Rambo, der eben dies betreibt (Dr. Siebert sah den Film mal später im Fernsehen und fand ihn »gar nicht so schlimm; Sylvester Stallone ist allerdings stark gewöhnungsbedüftig«).

Bo Gritz kandidierte einmal als Vize, einmal direkt für die Präsidentschaft, im Umkreis des Ku-Klux-Klan (den man ja noch fixer als den Fernsehprediger zur Fantasy rechnet). Bo Gritz ist Apokalyptiker, der die Weltgeschichte nach der Offenbarung des Johannes entziffert. Das Tier mit den sieben Köpfen sei die G 7 (wie damals die Gruppe der sieben reichsten Industriestaaten firmierte). Das Tier mit dem verwundeten Kopf, von dem die Bibel erzählt, sei Deutschland, durch die Wiedervereinigung geheilt. So kommt der Jüngste Tag – berücksichtigt man außerdem die Wiedervereinigung Jerusalems im Jahr 1967 – irgendwann zwischen 2002 und 2007 (wie auch immer Bo Gritz das errechnet).

Bo Gritz kauft auf einer Hochebene in Idaho 300 Hektar Land, um eine Siedlung für die zu gründen, die überleben wollen. Seit Jahren veranstaltet Bo Gritz Trainingsseminare: Nach dem Jüngsten Tag muß man sich auf natürliche Geburt ebenso verstehen wie auf homöopathische Heilkunde, auf lautloses Töten von Hand ebenso wie auf automatische Schußwaffen und andere Taktiken der Stadtguerilla (von einem Hochhaus abseilen). Überlebenswichtig ist die korrekte Vorratshaltung (Bo Gritz bietet für 1565 Dollar ein »Gritz-Pak« an, bestehend aus 27 Kisten mit 164 Konservendosen, das zwei Personen auf zwei Jahre verpflegt). Die Hochebene in Idaho repräsentiert Noahs Arche. Die Gerechten ziehen sich aus der verworfenen Welt zurück und warten fromm auf das Ende der Tage.

Bo Gritz beargwöhnt die Zentralregierung in Washington als den wahren Feind des Volkes. Sie strebt danach, das freie Amerika einer Weltregierung durch die Vereinten Nationen zu unterwerfen. Einen wichtigen Agenten dieser Verschwörung erkennt Bo Gritz in der Federal Reserve Bank, die acht jüdische Familien kontrollieren. Sie wollen die Verfassung außer Kraft setzen – freilich war Bo Gritz für den Reporter nicht zu sprechen. Denn die Medienleute hält er für links und schwul und damit für die Agenten einer weiteren Verschwörung. Gewiß, so ähnlich fände man Schwule und die UNO auch bei deutschen Rechtsradikalen positioniert, aber daß der Zentralstaat das höchste Böse darstellt, ist in Europa für die Rechten undenkbar. Schon gar, daß autarke Individuen draußen in der Wildnis die einzig authentische Gegenmacht verkörpern. In Deutschland bildet der Zentralstaat das höchste Gut; es kommt nur darauf an, ihn zu erobern.

Dr. Siebert, innerlich den Republikanern sich nähernd, empfindet Sympathie für den radikalen Individualismus von Bo Gritz und seinesgleichen. Während er ihre Weltuntergangsphantasien veralbert. D. hingegen beruft sich mal wieder auf ihre russische Seele, »wir wollen das Ich in unserem Wirgefühl aufheben, wie Hegel sagt«, und findet die Apokalyptik ganz in Ordnung, »warum sollten nur wir im Osten diese allgemeine Bedrohung verspüren«. Sie spielt in der Bar mit Dr. Sieberts rechter Hand herum und legt sie endlich – Theaterleuten mangelt es von Berufs wegen an Schamgefühl – fest auf ihre linke Brust. Zur Erinnerung an die schönen Tage in Washington, D. C.

Die Verwendbarkeit des Südens

Oxford, Mississippi. Es begann im Restaurant des Holiday Inn, als ich zum Essen ein Bier bestellte:

Nein, Bier gebe es nicht.

Dann eben Wein.

Auch keinen Wein.

Also trinken wir Wasser und D. Orangeade. Aber den ganzen weiteren Abend, während wir in der heißen Dunkelheit herumspazieren, kann ich mich beim Grübeln beobachten, wo es doch noch ein Bier zu trinken gäbe. In diesem Drugstore am Lamar Boulevard, kurz bevor man zum Square kommt (dessen klassizistische Hübschheit bei jedem Anblick erfreut)? Haben die Studenten, die den Campus bevölkern, während diese Rockgruppe spielt, wirklich nur Softdrinks in ihren Plastikbechern? Gierig wandere ich in das Gebäude der Student Union, wo der Shop trotz der Nachtstunde natürlich noch geöffnet hat – staatlich verordnete Ladenschlußzeiten gibt's hier ja nicht –, und erwerbe einen Riegel Hershey-Schokolade, um mich zu trösten: das Manna, das seitens der amerikanischen Soldaten auf die westdeutschen Nachkriegskinder herabregnete. (Drugstore, Softdrinks, Shop: Es fällt auf, wie rasch die amerikanischen Worte zur Gewohnheit werden.)

Dann gehen wir, ungläubig und alkoholdurstig, doch

noch in den Supermarkt am Lamar Boulevard (er liegt direkt neben dem County Jail), und das erinnert mich an Lucas Beauchamp, den würdigen Neger, wie er hier stoisch auf seinen Lynchmob wartet, während das alte Truttchen und der Jüngling den wahren Mörder Vinson Gowries ermitteln und die ganze kleine Stadt in Schande und Reue stürzen.

Monumental lange und hohe Reihen von Regalen, beladen mit Unmassen Waren; ich merke mir bloß das Glasfaß, einen halben Meter hoch, gefüllt mit einem dunkelgrünen Relish, der vermutlich beim Barbecue als Steaksoße massenhaft zum Einsatz kommt. In Amerika ist einfach alles größer, hieß es früher in Westdeutschland.

Und dort, na bitte, jede Menge Bier in Flaschen und Dosen, alle Marken der Vereinigten Staaten. Das konnte ich mir anders unmöglich vorstellen. Bescheiden versammle ich vier Dosen auf dem Grund des monumentalen Einkaufswagens. Und, weil dem Hershey-Riegel das Trösten irgendwie mißlang, noch einen Kasten Pfefferminztaler, wie ich sie in der Kindheit heiß liebte. Auch wegen einer Vorahnung.

Und tatsächlich sagt das alte Truttchen, das an der Kasse sitzt, indem sie meinen Einkaufswagen kontrolliert, we don't sell beer on Sundays, und der Jüngling, der ihr assistiert, trägt meine Notration gleich ins Regal zurück. Einen Augenblick lang gönne ich mir eine kleine Verschwörungstheorie: wie sie mich die ganze Zeit beobachteten während meines verzweifelten und schon bescheidenen Versuchs, doch noch Bier zu kaufen – bloß vier Dosen! – und wie sie sich darauf freuten, mich abblitzen zu lassen, als ich mit meinem Einkaufswagen hoffnungsvoll herangefahren kam.

Zuallererst: Wer ist Lucas Beauchamp? Die Hauptfigur aus dem Roman *Griff in den Staub* von William Faulkner; denn wir befinden uns hier im Herzen von Faulkner-Country, dessen Romane in den siebziger Jahren – da las er sie alle – fruchtbar am weitereren Ausbau des Phantasiereichs Amerika im Kopf unseres Freundes R. mitwirkten. Die Stadt Jefferson in Faulkners Romanen, das ist Oxford, Mississippi, und an einem der nächsten Tage stehen unsere Reisenden in dem weißen Haus namens Rowan Oak vor Faulkners Schreibtisch wie an einem Altar. (Abgesehen von D., die in der DDR von Faulkner als einem schlimmen Rassisten und fortschrittsfeindlichen Aristokraten Kenntnis erhalten hatte. Daß R. und seinesgleichen ausgerechnet während der Siebziger in Faulkners Erzählprosa schwelgten – mit ihren fatalistischen Familiendramen und unstillbaren Rassenkonflikten –, berührt allerdings seltsam: in den Siebzigern, Vietnam, Watergate, Nixon, blühte der Antiamerikanismus auf das heftigste in dieser Community. Wieso erregten da ausgerechnet Faulkners Südstaaten unsere Anteilnahme?)

Aber die Sache mit dem Bier: Das ist ja wie in der DDR, spottet D., die Theaterfrau. Hamwa nich, sagte man dort, wenn eine Bestellung unausführbar war …

Aber sie haben doch! unterbricht Dr. Siebert, jede Menge. Auch Weinflaschen standen da rum und jede Menge Schnaps. Wäre ich mit einer Flasche Whisky an der Kasse aufgekreuzt, sie hätten mich genauso auflaufen lassen. We don't sell spirits on Sunday. Der Sonntag ist das Problem.

Dazu denke man sich eine heiße und tiefdunkle Nacht. Sorgsam hält – wie R. beobachtet – Dr. Siebert Abstand von den nackten Armen und Schultern von D. (als wolle er, spekuliert R., die Ansteckung durch Sex vermeiden). Der Weg zum Campus der hochberühmten Universität Ole'Miss führt durch Sträßchen, die dicht wucherndes Grünzeug säumt; fireflies, Leuchtkäfer übersetzt das Wörterbuch, das D. stets zur Hand hat, weit dickere Lichttropfen als die europäischen Glühwürmchen, kommen immer wieder aus dem Grün und verlöschen unversehens (was R. als ein Sexualschauspiel erkennt). Die Gebäude von Ole'Miss auf ihrem Campus entsprechen den Erwartungen an eine hochberühmte Universität. Aber die Straßen des Städtchens (153 968 Einwohner meldet der Reiseführer – »in Amerika ist alles größer«) erzählen trotz der klassizistischen Fassaden vor allem, daß dies eine arme Gegend sei. Hier sieht es doch aus wie in der DDR, triumphiert D. noch einmal und zeigt – der erhobene Arm legte ihr blondes Achselhaar frei – auf die verworrenen Leitungen und Drähte, die die Häuser überspannen. (Diese Spezialität der DDR lernten die Westdeutschen freilich erst nach deren Untergang, bei ersten Reisen ins Beitrittsgebiet und in seine kleinen Städte kennen, improvisierte Elektroleitungen, wie sie das Vorschriftswesen der Bundesrepublik längst untersagte.) Es ist diese Hitze, das wuchernde Grün und das ärmliche Städtchen, darin tödliche Leidenschaften kochen, was wir als die Welt von William Faulkners Romanen erahnen sollen, in die unsere Reisenden gleich mit der Ankunft eintauchen. Wobei Verbrechen und Korruption völlig fehlen; und die Blicke, die unser Freund R. auf die nackten Arme von D. wirft, wo sie sich mit den Blicken von Dr. Siebert treffen, sind doch harmlos genug.

So soll es auch sein. Wären sie nach der Ankunft in Jefferson auf den Lynchmob aus *Griff in den Staub* gestoßen, sie hätten auf der Stelle die Flucht ergriffen. Niemand möchte die Szenen von Mord und Totschlag, die man so gern liest, mit eigenen Augen sehen, am eigenen Leib erleben.

> Als die anderen die Küche erreichten, sahen sie, daß der Tisch beiseite gestoßen war. Grimm beugte sich über den Körper. Als sie sich näherten, um zu erkennen, wie es um ihn stand, sahen sie, daß der Mann noch nicht tot war, und als sie sahen, was Grimm tat, stieß einer der Männer einen erstickten Schrei aus, stolperte rückwärts gegen die Wand und erbrach sich. Dann sprang auch Grimm zurück und schleuderte das blutige Fleischermesser fort. »Jetzt wirst du weiße Frauen in Ruhe lassen, sogar in der Hölle«, sagte er. Aber der Mann auf dem Fußboden hatte sich nicht gerührt. Er lag einfach da, die Augen offen und von allem entleert außer dem Bewußtsein und mit einer Art Schatten um den Mund. Für einen langen Augenblick schaute er sie an, friedlich, unergründlich, unerträglich. Dann schien sein Gesicht, sein Körper, sein Leben in sich zusammenzubrechen, aus der aufgeschlitzten Kleidung um

seine Lenden strömte das schwarze Blut wie ausgestoßener Atem. Es schien aus seinem Körper zu schießen wie das Feuer einer Rakete; auf diesem schwarzen Strahl schien der Mann sich zu erheben, um so für immer in der Erinnerung zu stehen. Sie wurden ihn nie mehr los, in welchen friedlichen Tälern, an welchen lieblichen Flüssen, in welchen Widerspiegelungen welcher Kindergesichter auch immer sie im Alter alte Schrecken und neue Hoffnungen bedenken.

Joe Christmas heißt der irreführend hellhäutige negro, dem der Mann mit dem deutschen Namen Grimm, nachdem er seine Schußwaffe in ihn geleert hat, den Schwanz abschneidet. Mord und Verstümmelung zeitigen bei den weißen Tätern ein lebenslanges Schuldgefühl. Ihnen eben dies zu verpassen, dafür sind in Faulkners Romanen oft die negroes da; auch der weise Lucas Beauchamp, den sie im Gefängnis am Lamar Boulevard einkerkern und lynchen wollen, kommt am Ende als moralischer Gläubiger, bei dem sich die Weißen unendlich verschuldeten, aus der Geschichte heraus. Eine leise komödiantische Geschichte, keine so wüste und unentrinnbar tragische wie *Licht im August* aus dem Jahr 1932. Unsere Freundin D. verzichtet dankend, als Dr. Siebert sie ihr nacherzählen will an jenem heißen Abend in Oxford gleich Jefferson. (Warum soll er ihr vom Schwanzabschneiden erzählen, höhnt R. innerlich, wo sie den seinen so entschlossen anpeilt? Er schämt sich für seinen Neid.)

William Faulkner bezweifelte, daß die schwarze und die

Das könnte Hyman Weiss III sein, der erste war einer von Capones Leuten, in der großen Zeit von Chicago, der Welthauptstadt des Verbrechens.
Ein eigener Roman. Ein Roman, den jeder kennt, als Buch, vor allem aber als Kino, von Edward G. Robinson bis zu Robert de Niro (wie er bei einem festlichen Dinner den Versager mit einem Baseballschläger ermordet und das dunkelrote Blut satt auf den blütenweißen Damast des Tischtuchs fließt).
An diesem Roman fällt auf, daß unsere Unterscheidung zwischen der schwarzen und der weißen Version mißlingt. Die schwarze Version ist die weiße – nein, das wäre übertrieben. Die schwarze Version ist die einzige, und sie ist die glanzvolle: Jeder liebt Amerika als den Schauplatz des ganz großen Verbrechens. Nirgendwo anders wurde es so monumental erzählt; nirgendwo anders tritt der Verbrecher so klar als Held in Erscheinung und ebenso der Polizist, der ihn stellt und seine Karriere beendet. Auf die Parallelgeschichte aus der Russenmafia warten wir noch lange.
Sich diesem Roman zu entwinden, fällt noch dem entferntesten Nebendarsteller schwer. Man weiß wenig von Hyman Weiss III.

weiße Bevölkerung des Südens ihre Beziehungen friedlicher regeln könnten. Daß die Rassentrennung aufgehoben werden könnte, hielt er für undenkbar – klar, viele seiner Romane hätten ihren Sinn verloren. Als besonders eindrucksvolles Beispiel für diese Form von Apartheid merkte ich mir die Geschichte mit dem Grüßen und der Anrede.

Während die erwachsenen Weißen, wie arm auch immer, in der Öffentlichkeit als Mister und Miss angeredet werden, heißen die Schwarzen grundsätzlich Auntie und Uncle, und das ohne Vor- oder gar Nachname. Die Ethnologin, bei der ich die Geschichte las, hatte mit vielen Schwarzen in ihren Wohnungen gesprochen und sie dabei stets wie Weiße, also mit Mister und Miss plus Nachname tituliert. Jetzt traf sie im Drugstore auf das ihr wohlbekannte schwarze Ehepaar Beauchamp und begrüßte sie entsprechend. Man könne sich das Entsetzen der weißen Verkäufer und Kunden angesichts dieser Regelverletzung, erzählt die Ethnologin, nicht drastisch genug vorstellen. Schweißausbrüche, Erbleichen, manche schienen einem Kreislaufkollaps nahe.

Wie die Weißen im Süden ihre negroes behandeln, das fand Hitler korrekt als Maßnahme im Rassenkampf. Daß sich nach 1945 der deutschen Jugend ein schwarzer GI, strahlend lächelnd in seiner tadellos gebügelten Uniform, als Heilsbringer einprägte mit Hershey bars und Kaugummi, kränkte die verbliebenen Hitleranhänger furchtbar – wie überhaupt die Verniggerung Westdeutschlands durch Amisitten, -klamotten und -musik. Ähnlich tobte der Kulturkampf in der DDR; freilich erlebte ihn unsere

Freundin D., zu spät geboren, nicht mehr in seiner ganzen Schönheit, wie Ringelsocken und Nietenhosen und Auseinandertanzen verboten waren. Was ihr jedoch in Mississippi angesichts der fireflies, wie sie vorbeitrieben und sich an- und ausknipsten, einfiel: die Kartoffelkäfer, die amerikanische Flugzeuge angeblich hekatombenweis auf die Felder der jungen DDR streuten, um die Ernte zu vernichten und die Bevölkerung in eine Hungerkrise zu treiben … Die Blue Jeans (Nietenhosen), womöglich die echten von Levi Strauss, lernte sie dagegen von Kindheit als heißes Objekt der Sehnsucht kennen. Das Verbot hatte doch wirklich keinen Sinn, sagt sie, daß der Arbeiter-und-Bauern-Staat seiner Jugend die amerikanischen Arbeiter-und-Bauern-Hosen untersagte; sowie die schwarze Musik. (D. und allen anderen ist noch unbekannt, wie die Untergangsgeschichte der DDR in den nächsten Jahren prominent die Blue Jeans enthält: die echten zu importieren besaß sie kein Geld; die einheimische Produktion kam bei der Nachfrage nicht mit – vor allem aber erwies sich der angesagte Typus stonewashed in der Qualität als derart miserabel, daß er eine eigene stille Jugendrevolte auslöste.)

Aber wir sind bei den negroes; dies ist wahrhaft die finstere Seite der Geschichte (wie der Reichtum zeigt, den Faulkner ihr abgewann). Daß die Demokratie der Vereinigten Staaten, ihre Freiheit und Prosperität letztlich die Sklavenarbeit der verschleppten Afrikaner hervorbrachte, bei D., der Theaterfrau aus dem Osten, gehört das zum unerschütterlichen Basiswissen. Aber auch beim Graben in der Imagination von Dr. Siebert und R. und ihresgleichen fände man es mit Sicherheit in irgendeiner Schicht.

»Und deshalb sind die Freiheit, die Demokratie und der Reichtum der USA irgendwie falsch.«

Am nächsten Tag waren unsere Reisenden von Lehrpersonen der Universität zum Dinner eingeladen (ein Dutch-treat-Dinner: jeder zahlt für sich selbst). Draußen saß man, an grob gezimmerten Holztischen, wie das Dienstpersonal einer Farm. Man aß catfish (das ist ungefähr Wels), den exquisit zuzubereiten – sagten die Gastgeber – den Ruhm dieses Restaurants ausmache; dazu Okraschoten und one-eyed peas (»wie rasch die amerikanischen Worte«, notierte unser Freund R. in sein Notizheft, »sich unentbehrlich machen ...«).

Leroi ist schwarz, 42 Jahre alt und Soziologieprofessor. Gleich am Anfang bringt eine Dame aus der Eßgesellschaft einen Toast auf ihn aus: Er hat soeben tenure erhalten, die feste Anstellung durch die Universität. Jetzt werde er endlich mit dem Reisen nach Europa und anderswohin beginnen, scherzt Leroi, statt ängstlich zu Hause herumzusitzen und auf Gelegenheiten zu lauern, wie man sich unentbehrlich macht.

So ein warmer und heller Sommerabend. Wir sitzen auf den Holzbänken an den Holztischen wie die Landarbeiter, darunter sprießt Gras und Unkraut. Ich erzähle, daß ich sozialer Aufsteiger bin, der erste in der Familie, der die Universität besuchte. Das ist ein Stichwort für Leroi.

Er kommt aus Michigan. Sein Vater war Barmann. Eine große Familie, drei Schwestern und zwei Brüder gibt es neben Leroi, die alle ordentlich zu ernähren, zu kleiden und aufzuziehen das Einkommen eines Barmanns natürlich keinesfalls hinreicht.

Und dann starb der Vater mit 39 Jahren, Bluthochdruck, Kreislaufversagen. Die Mutter stirbt mit 44 an Krebs, und er, Leroi, versteht sich, beobachtet seinen Blutdruck, sein Gewicht, seinen Gesundheitszustand auf das sorgfältigste, fast schon hypochondrisch. Außerdem sei er ein abused child gewesen, sowohl von seiten des Vaters wie der Mutter, und ich verzichte lieber auf die Nachfrage, worin der Mißbrauch bestand. Das alles biete, sage ich amerikanisch-optimistisch, doch die besten Voraussetzungen, Soziologe zu werden, und Leroi stimmt gerne zu.

Hier in Oxford lebe er als loner. Kaum gesellschaftliche, freundschaftliche oder sexuelle Kontakte. Die Vereinigung der schwarzen Public School Teacher, zu der er Anschluß suchte, hält undurchdringlich zusammen; vor allem pflege sie ihre eigene Geselligkeit, kein Funken politisches Interesse. Am besten ergehe es ihm, Leroi, während der Football-Saison. Da koche er jeden Abend, bloß für sich allein, ein mehrgängiges Feinschmecker-Dinner und hänge stundenlang vor dem Fernseher.

Der schöne Abend, das gute Essen, das dünne amerikanische Bier, von dem man so viel trinken kann, ohne blau zu werden. Seine Kollegen hören Lerois Erzählung freundlich, aber ohne jede Mitleidsäußerung zu. Wer tenure hat, gilt als gemachter Mann. Längst ist er seiner finsteren Vorgeschichte entkommen und ein anderer geworden als der Sohn eines Barmannes aus Detroit, Michigan, der sechs Kinder zeugte und mit 39 Jahren an Erschöpfung starb.

R. versäumte, in sein Notizheft zu schreiben, mit welcher Eifersucht Dr. Siebert zusah, wie seine D. ihre Blicke über den schönen Leroi gleiten ließ, von oben nach unten, von rechts nach links (»ein antiker Neger«). Sie hätte ihn, wütete Dr. Siebert innerlich (wie R. sich ausmalte), wohl gern in seiner Einsamkeit aufgesucht und dies fremde Fleisch verkostet.

Ich hätte ihr erzählen können, welche Folgen der strahlende schwarze GI im westlichen Nachkriegsdeutschland diesbezüglich zeitigte, zumal der einheimische Jungmann stark dezimiert war und sich als Kriegsverlierer kaum traute, gegen die Rivalen anzutreten. Daß die schwarzen Besatzungssoldaten in Westdeutschland bemerkbar verachtet oder gehaßt wurden, kann ich beim besten Willen nicht erinnern. Vermutlich weit weniger gehaßt und verachtet als daheim in den Südstaaten: keine separaten Sitzplätze in Berliner Straßenbahnen oder Gaststätten. Dunkel erinnere ich mich an einen Film namens *Toxi*, der die Schicksale einer schwarz-deutschen Liebesfrucht problematisierte, ein süßes Gör, versteht sich, und wahrscheinlich predigte der Film schon damals Verständnis und Toleranz, und der Rassist machte sich so widerwärtig wie Gottfried Klepperbein oder Uriah Heep.

Was R. gleichfalls aufzuschreiben versäumte, das waren Lerois Erzählungen über Ole' Miss als Zentrum des Rassenkampfs. 1962 versuchte sich ein gewisser James Meredith in der rein weißen Universität einzuschreiben, und daraus folgte eine der heftigsten Kampagnen der Bürgerrechtsbewegung (»ach, der gute Präsident Kennedy!«), inklusive der entsprechenden Gegenwehr. Und heute? Ob wir im Foyer der Student Union den Aushang sahen mit den Fotos derer, die ein Stipendium gewannen? Alle schwarz. Und kürzlich gab es einen offiziellen Empfang anläßlich irgendeines Jubiläums, und das sah aus, lachte Leroi, wie der Alptraum des weißen Rassisten von 1962, der Schwarze unbedingt verbannen wollte: Die Mehrzahl der offiziellen Gäste war schwarz; ganz und gar weiß war das Aufgebot der Pagen, die hübsch kostümiert auf silbernen Tabletts den Gästen die Drinks anboten. Wenn wir sie jetzt hereinlassen, tobte der weiße Rassist 1962 – lachte Leroi –, übernehmen sie in Kürze die Macht, und unsere Kinder müssen ihnen dienen! Genauso ist es gekommen! Gern lachte D. mit und legte einverständig ihre Hand auf Lerois nackten Unterarm (was Dr. Siebert verstimmte, was R. amüsierte).

Später gingen sie ins Kino, einen Holzschuppen, an dessen Stirnseite die Leinwand aufgespannt war, davor Stuhlreihen. Durch die Lücken im Bretterwerk erspähte man Mond und Sterne, und auch die Geräusche der nahen Stadt blieben nie unhörbar.

Der Film, Botschafter der Angst, im Original *The Manchurian Candidate*, gilt bei den Kinogehern immer noch als ein Muß (1962 sagte man noch nicht Kult). Ein US-Soldat gerät im Koreakrieg in chinesische Kriegsgefangenschaft; durch Gehirnwäsche – die Kommunisten können alles – programmiert man ihn zum Mörder und schickt ihn nach Hause. Es braucht einen bestimmten Auslöser, damit die Mordmaschine anspringt, eine Spielkarte, und es zeigt sich am Ende, daß seine Mutter mit den Chinesen im Bunde ist: Er soll seinen Vater erschießen, Präsidentschaftskandidat, der ausschaut wie Richard Nixon – nein, ich kriege die Geschichte nicht mehr richtig zusammen. Sie ging gleichzeitig gegen die Kommunisten und gegen die Antikommunisten. R. ebenso wie Dr. Siebert mißlang es hinterher in der Bar des Holiday Inn – am Montag selbstverständlich keine Probleme mit der Alkoholbeschaffung –, D. den Film zu erklären. Immer wieder entglitt ihr die Pointe. »Und dieser aalglatte Laurence Harvey mit seinem gelackten Scheitel, der war doch einfach widerlich. Großartig allerdings war die Mutter, diese Klytämnestra!« (Immer wieder bewunderte Dr. Siebert ihre Bildung; »so war halt die DDR«). Und warum, schloß D. das lustig-verworrene Gespräch, hieß der Film *The Manchurian Candidate?* Und was dachte man sich in Hollywood dabei? Jedenfalls wurde Kennedy statt Richard Nixon erschossen. Wollten sie uns erklären, Lee Harvey Oswald sei in der Sowjetunion zum Kennedy-Mörder programmiert worden? Ach so, pardon, das kam ja erst ein Jahr später.

In seinem Hotelzimmer, in seinem Bett versenkte sich R. wieder in einen der Romane, die er im Gepäck mit sich führte, diesen hier, wie *Licht im August*, zum Wiederlesen, eine Geschichte aus den Südstaaten, wie sie in den frühen Sechzigern westdeutschen Lesern gut mundeten, poetisch verwehte Geschichten ohne viel Plot und Spannung, dafür aber dicht durchzogen von Pessimismus und Melancholie. Joel, 13 Jahre alt, verläßt die graue nordamerikanische Heimatstadt, weil ihn sein verschollener Vater in den bunten Süden ruft – Mutter starb vor kurzem –, wo er in einer üppig verfallenden Residenz auf ein verzaubertes

Personal stößt. Vor allem auf Randolph, einen schwulen Ästheten, der sich des Knaben annimmt, was 1948 nur unter strenger Einhaltung der Sicherheitsvorschriften erzählt werden konnte. Von dem Autor kursierte ein berühmtes Fotoporträt: Angewinkelt sitzt er auf einer weißen Bank mit kompliziert ornamentierter Rückenlehne und schaut erotisch verhangen in die Kamera. Er trägt ein weißes T-Shirt, dessen Halsausschnitt die halbe Schulter freigibt – den größten Teil der Bildfläche aber füllen die riesigen Blätter eines Baumes, in die der Dichter auf seiner Bank halb hineingesetzt ist, die üppige Vegetation, das üppige Triebleben des Südens. Später wurde der rätselhafte Jüngling fett und häßlich und beendete sein Leben als schwule Skandalnudel in New York.

> Hinter dem Buschwerk verschmolzen zwei Stimmen, die eine tief und bullenhaft, die andere hell wie der Klang einer Gitarre, sanften Regentropfen gleich zu einem einzigen Rhythmus; ein verworrenes Säuseln von zärtlichem Gemurmel wechselte mit leichtem Lachen, mit Seufzern, die nichts mit Traurigkeit zu tun hatten, mit Schweigen, das tiefer war als Raum und Zeit. Moos erstickte die Fußtritte der Lauschenden, die durch das dichte Blätterwerk schlichen, bis sie zu einer Lichtung im Busch kamen: eingefangen in ein dichtes Gespinst aus Mondlicht und Farnen, lagen dort, nackt und ineinander verstrickt, zwei Neger, der karamelfarbene Körper des Mannes umschlungen von den Armen und Beinen seiner dunkleren Geliebten, seine Lippen liebkosend

> an ihren Brustwarzen; oh, oh, süßer Simon, seufzte sie, und Liebe bebte in ihrer Stimme, erschütterte sie wie rollender Donner, sachte, Simon, süßer Simon, sachte, Herzchen! wimmerte sie, dann straffte sie sich, und ihre Arme fuhren in die Luft, als ob sie den Mond umarmen wollte; ihr Liebhaber sank über sie, und mit verschränkten Armen und Beinen blieben sie liegen, ein schwarzer gefallener Stern auf einem Ruhebett aus Moos. Idabel floh, so rasch ihre Füße sie tragen konnten, und Joel gab sich alle Mühe, mit ihr Schritt zu halten …

Gewiß erreichte die mythische Schönheit und Anziehungskraft der Schwarzen über den siegreichen GI auch Westdeutschland und überlagerte die neidgetriebene Idee, der Untermensch giere nach der weißen Frau, um sie zu schänden und ihr herrliches Blut zu verderben. In den Clubs und Diskotheken der Neunziger, wo sich die Jugend Westdeutschlands versammelte, erlangten jedenfalls die Kinder und Enkel von Toxi besonderes Prestige dank ihrer schwarzen Väter und Großväter, »hier ist es klasse, ein Neger zu sein«. Statt auf sie richteten sich Ausbrüche von Xenophobie auf die Türken, wie Leroi viele Jahre später bei einem Dinner in Berlin erklärt wurde (die Verbindung hielt).

Es kommt mir so vor, als mundeten diese Romane aus den Südstaaten in den Fünfzigern und Sechzigern den westdeutschen Lesern besonders. Konservative Literaturprofessoren und -kritiker verfaßten Nachworte und Klappentexte, die den Schriftstellern besondere poetische Be-

»Kein Heimweh, sondern stolze Restitution.« Die Ausgewanderten nehmen ihre Schätze mit und stellen sie in der Neuen Welt ohne Scheu zur Schau. In den Fünfzigern las man das oft in den Illustrierten. Der steinreiche Ami kaufte ein Schloß in England oder Frankreich, ließ es Stein für Stein abtragen und in die Staaten transportieren, wo man es originalgetreu wiederaufbaute. Ein gefundenes Fressen für den Amerikafeind. Sie begegnen der Geschichte ohne Respekt; sie entwurzeln ihre Monumente und verschleppen sie aus aller Welt in ihr häßliches Land, wo sie sinnlos herumstehen.

Aber Entfremdung ist, widerspricht der Kulturtheoretiker, die Voraussetzung des Kulturgenusses. Wenn die Dinge dort bleiben, wo sie sind, verschwinden sie, werden unsichtbar. Bekanntlich ignorierten die Älpler das Gebirg, bis die verrückten Engländer kamen, staunten und hinaufwollten.

Wann fiel Ihnen daheim der Name Goethe zum letzten Mal so auf, daß Sie ihn fotografierten?

Wenn Sie die Meisterwerke der europäischen Kunst bewundern wollen, müssen Sie in amerikanische Museen gehen.

gabung attestierten und ihnen den altdeutschen Titel des Dichters zusprachen. Gleich neben dem Foto des erotisch verträumten Truman Capote auf seinem Bänkchen im Großblätterwald findet sich in dem Buch eines von dem ganz vergessenen William Goyen, mit gekrauster Stirn und halbgeöffneten Lippen schmerzlich nach oben blikkend (wo kein Gott die Schicksale des Menschen gütig überwacht?), im Hintergrund ein unscharfer Vorhang aus Blattwerk und Sonnenlicht, der heiße, üppige und traurige Süden. Ich erlebte Goyen Anfang der Sechziger, in der Bahnhofsbuchhandlung von Kassel, die ehrgeizige Lesungen veranstaltete (hier sah ich auch zum ersten Mal Hans Magnus Enzensberger). Besonders faszinierte uns, wie selbstverständlich man ihm immer wieder Whisky in das Glas neben dem Lesepult nachgoß und wie geschwind er es leerte und daß er am Ende nicht vollständig blau war – so was imponiert Jungs bekanntlich –, sondern von einer besonders angenehm gelösten Freundlichkeit. Ein echter Amerikaner aus den Südstaaten, der auch noch ein echter Dichter und Trinker war, das beeindruckte uns tief. Allein das Geld, das die Whiskymenge kostete!

Mag sein, daß sich der Alkohol in William Goyens Erzählprosa nachweisen läßt (so wie in der Prosa William Faulkners, und ich könnte einen amerikanischen Philosophen namens James zitieren, der den Rausch als religiöse Erfahrung rechtfertigt, der Mystik zugehörig; auch wenn es ehrlos ist, besoffen zu sein). Der seinerzeit hochberühmte Literaturprofessor namens Curtius, der Goyen übersetzte und bevorwortete, wollte in dieser Erzählprosa ein urweltliches Amerika vor der Industrialisierung erkennen, bevor die großen Städte die Macht übernahmen. Amerika, die Südstaaten als Ursprungslandschaft – was unsere Reisenden in Oxford, Mississippi, vor allem erstaunen machte, war der Kudzu, die schiere Vitalität dieses großblättrigen japanischen Efeus, der Bäume ebenso wie Häuser überwuchert und auffrißt. Als Sinnbild prägt sich dem aufs Vorindustrielle erpichten Ursprungsdenker der dicht mit Schrott bepackte Autofriedhof ein, den der Kudzu noch dichter und dunkelgrün zum Verschwinden bringt, unwiderruflich. Das Grundstück könnte man vermutlich nur mit Atomwaffen roden, grinste Leroi, als er die Reisenden zu dem aufgefressenen Autofriedhof chauffierte. Sie fuhren weiter zu einem nahen See, die notorischen Mangrovenbäume mit ihren Wurzeln im Wasser zu bewundern; bei dem Spaziergang scheuchten sie eine Schar Schmetterlinge auf, samtig tiefschwarz und handtellergroß. »Hier ist es ja richtig schön!« Gründlich musterte D. die in dem See Badenden: »Aber man sieht gar keine Schwarzen?! Weiterhin gilt die Rassentrennung.«

> Öffne das rostige Eisentor und tritt über das Stechgras weg das in der Wiese blüht, geh hinüber am vermorschten Radreifen vorbei wo die gesprenkelte Calla zu leben pflegte und kehre dich dem Zisternenrad entgegen das sich nicht mehr umdreht. Sieh die Zisterne, rostig, hohl, wasserlos und das zerbrochene Rad der Windmühle und die Ratten die über den Trümmern spielen. Das Rad gleicht einer ungeheuren Blume aus Metall die der Rost angefressen hat. Bücke dich, berühre die abgefallenen Blüten-

blätter und höre im Bücken das knirschende Knarren des Rades, das wieder beginnt sich in deinem Kindheitshirn zu drehen und den Oberton der Einsamkeit raspelt und den Unterton des Staunens. Erinnere dich, wie es auf langen Beinen aufstieg aus dem runden tiefen bedeckten Viehtrog und erinnere dich an das Mal, wo der Deckel ab war, wie das Kind einer Negerwaschfrau (denk an sie mit ihrem Kopftuch aus rotem Kattun, wie sie im dampfenden schwarzen Eisenkessel stocherte, der mit Kleidern der Starnes' und Ganchions gefüllt war) hinaufkletterte und in den Trog fiel und ertrank und wie die Kühe zum Trinken kamen und brüllten, weil sie die Leiche fanden.

Okay, beim Schreiben mag Whisky diese Art von elegischer Schwärmerei angeregt haben. Der Enthusiasmus, das Schwärmen imponierte dem Gymnasiasten, der ich einst war, ungemein (das hatten wir ja schon am Anfang, bei Walt Whitman). Aber was faszinierte den deutschen Literaturprofessor und seinesgleichen? (Der Professor ließ sich als Übersetzer sogar zu Experimenten mit der Interpunktion verleiten.)

Die Urlandschaft, als welche diese amerikanischen Romane die Südstaaten entwarfen, erkannten sie als eine deutsche, als die romantische Urlandschaft. Die – jetzt werde ich frech – 1945 einfach in der Vergangenheit verschwand, statt sich nach dem gewonnenen Krieg unermeßlich in den Osten auszudehnen, wo vielleicht auch ein Literaturprofessor (Bildungsbürger) seinem Rittergut vorgestanden hätte, das es an Größe mit den Latifundien der amerikanischen Südstaaten hätte aufnehmen können. Jetzt verfielen in der großdeutschen Imagination diese Plantagen und Residenzen, und deshalb ließ man sich gern erzählen, wie auch deren Gegenstück in den USA verfiel. Gewiß förderte dies Phantasieren, daß die Südstaaten den Krieg gegen die Nordstaaten verloren – so wie Deutschland. Die Südstaaten regierte so etwas wie eine Aristokratie, die, so Hitler, die Rassenfrage korrekt behandelte. Dr. Goebbels bewunderte maßlos den Film *Vom Winde verweht*, der vom Adelsleben und vom Bürgerkrieg erzählt und in der Gestalt der willensstarken Vivien Leigh, die das zerstörte Rittergut wieder aufbaut, schon fast den deutschen Wiederaufbau vorwegnimmt – aber jetzt geraten wir ins Spinnen. Wie erzählt wird, gestaltete sich die Produktion des Films selber katastrophisch. Einen Krieg schildernd, stellte er selber einen fortwährenden Krieg dar, gegen die Zeit, gegen die Ressourcen, gegen die Schauspieler, und beinahe wäre er untergegangen wie der Herrensitz Tara und die Südstaaten selber. Filmproduktion als Risikospiel – Ähnlichkeiten mit dem Rußlandfeldzug sind unbeabsichtigt, doch unverkennbar. Im Unterschied dazu gelang der Film und wurde ein großer Erfolg, ein Ruhmeskapitel der Filmgeschichte. Erst mit späteren Projekten gelang es dem Produzenten, sich richtig zu ruinieren.

R. sah den Film zwanzigjährig, als frischgebackener Student, zusammen mit einer ersten Liebschaft. Sie brachte ihm die Technik des Zungenküssens bei, aber dann blieb die Geschichte irgendwie stecken. Ihm war unklar, was er sich von dem Mädchen wünschen sollte, und das machte auch ihre Wünsche verschwimmen. Nach dem Kinobesuch, als er sie nach Hause begleitete, wenigstens gingen sie Hand in Hand, erklärte sie ihm ernsthaft, so wie Clark Gable Vivien Leigh traktiert, also mit Gewalt, so müsse ein Mann eine Frau behandeln. Das beendete seitens R. diese Liebschaft.

Und dann muß ich von der schönen und verschwärmten Tante Hanna erzählen, die in den Fünfzigern im Staatstheater Kassel mit Gusto den Aufführungen gewisser Dramen beiwohnte, deren Autoren regelmäßig den Südstaaten entstammten. In zerfallenden Plantagen und Residenzen gingen junge Paare schwül ihrem Liebesunglück nach, unter den strengen Blicken des Hausvaters, den der Sohn in ödipaler Wut für alles Unglück verantwortlich machte. In einem abgelegenen Quartier von New Orleans verfällt eine alte Jungfer einem Macho namens Kowalski (Tante Hanna sagte statt Macho »He-Man«) und dann dem Wahnsinn, nachdem er sie vergewaltigt hatte. Eine junge Frau muß zusehen – das hatten wir schon –, wie ihr schwuler Bruder an einem lateinamerikanischen Strand von aufgereizten Jünglingen zerrissen wird.

Gern sah Tante Hanna diese Geschichten auch als Filme in den Kinos von Kassel, mit Paul Newman und Elizabeth Taylor oder Marlon Brando, Montgomery Clift oder Burt Lancaster. Tante Hanna interessierte sich brennend für die Konflikte zwischen den Geschlechtern, und merkwürdigerweise hatten sie damals vorzüglich die amerikanischen Südstaaten zum Schauplatz. Urlandschaft auch der Libido? Jedenfalls drang, was man später mit pathetischer Sachlichkeit Beziehungsprobleme nannte, über Theater und Kino als Südstaatenmaterial, heiße Geschichten in Adelsnestern, nach Westdeutschland vor.

Also, in der Imagination der frühen Bundesrepublik stellten sich die Verhältnisse so dar: Die amerikanischen Südstaaten, die den Bürgerkrieg gegen den Norden verloren, das ist Deutschland. Welche Einzelheiten man auf diesen Hintergrund malen will, darf jeder selbst entscheiden. Sklaven sollten im Großdeutschen Reich ja vor allem die Bevölkerungen des Ostens stellen – jetzt versklavte im Gegenzug die Sowjetunion die Bevölkerung der DDR, und das findet die Traumlogik irgendwie plausibel. In die amerikanische Mythologie ging ein – wie man unseren Reisenden in Oxford, Mississippi, erzählte –, daß die Konföderierten für einen noble cause kämpften, was ihrer Niederlage Würde verlieh (die Sklaverei, flüsterte D. hämisch ihrem Dr. Siebert zu, kann das aber nicht gewesen sein). Daß das Dritte Reich einen noble cause verfolgte, der nur leider irgendwie ..., das glaubte Westdeutschland lange.

Die Rittergüter auf der Krim hatten wir schon. Ob ihr Verlust (daß es nie zu ihnen kam) die Südstaatenliteratur den Westdeutschen so schmackhaft machte, die poetisch vom Verlust handelte, von verlorenen Seelen in verfallenden Plantagen, das stehe dahin. Vielleicht handelte es sich um die Rittergüter in Ostpreußen und Hinterpommern und Schlesien; in der DDR, die sie enteignete. Die Traumlogik nimmt sich, was ihr paßt. Womöglich erzählte *Vom Winde verweht* Tante Hanna, wie ihrer Familie die dramatische Flucht aus Breslau gelang, während die Rote Armee die Stadt eroberte. Wie Vivien Leigh wandelte sich Tante Hanna vom kapriziösen Trotzköpfchen zur willensstarken Managerin des westdeutschen Wiederaufbaus?

Was uns noch nicht erklärt, warum die schwülen Liebesdramen aus dem Süden im Theater und Kino der Fünfziger uns so intensiv beschäftigten. (Deren erfolgreichster Autor, Tennessee Williams, übrigens wie Truman Capote stockschwul war – und D. erträumte mit ihrem Dr. Siebert sich eine Aufführung der *Katze auf dem heißen Blechdach* oder der *Endstation Sehnsucht*, in der die Frauenrollen mit Männern besetzt sind.)

Und an irgendeine Stelle gehört hier der Sachverhalt, daß die Emblematik der besiegten Südstaaten sich in der westdeutschen Arbeiterklasse großer Beliebtheit erfreut, ja, finstere junge Männer aus dem Proletariat, meinetwegen als Lastwagenfahrer (trucker) unterwegs, schmückten die Kabine mit der Fahne der Konföderation und trugen auf dem Kopf das seltsam abgeflachte Mützchen ihrer Soldaten. (So etwas blieb Tante Hanna natürlich verborgen.)

Viele Jahre später, nach dem Wegfall der DDR, besuchte Leroi, immer noch Professor in Ole' Miss, das vereinigte Deutschland und legte uns in irgendeinem der feinen Lokale von Berlin-Mitte (kein Gedanke an die rohen Holztische, an denen die Reisenden damals catfish mit one-eyed peas gegessen hatten) seine neuesten Theorien über die imaginären Verhältnisse der Bundesrepublik zu den Südstaaten dar. (Nein, keine Belästigung des schwarzen Mannes in Erfurt oder Halle oder Leipzig oder Cottbus seitens glatzköpfiger Jungmänner. Manche Einheimi-

Trümmergrundstücke, sagte sich R. bei seinem ersten Besuch in der Neuen Welt, gibt es hier nicht. Kein Bombenkrieg zerschmetterte die Städte, und indem man den Schutt abräumte, entstanden neue Baugrundstücke, die immer wieder an den Krieg denken machten. Und auch die neuen Häuser brachten ihn nicht zum Verschwinden, denn sie erinnern nachdrücklich an die alten, die fehlen.

Nein, freute sich R. bei seinem ersten Besuch in der Neuen Welt, hier sind Baugrundstücke bloß Baugrundstücke. In der Vorzeit waren sie freie Landschaft, dann Felder und Weiden: So stellt jedes leere Baugrundstück, träumte R., noch einmal die Neue Welt als solche dar, vor der Besiedlung durch die Ausgewanderten.

Und wo bleiben die Indianer? unterbricht der Amerikafeind. Die Einwanderer haben sie vertrieben, dezimiert, ausgerottet. Dann sah es so aus, als wäre der Kontinent, bevor sie kamen, leer gewesen, als hätte die Neue Welt nur auf sie gewartet. Aber es gibt keine Neue Welt. Sie gründet auf Illusion und Verbrechen.

sche guckten befremdet; aber das waren alte Truttchen ebenso wie Jungmänner oder angetrunkene Arbeitslose. Wärst du in die kleinen Städte, gar in die Dörfer gekommen, widersprach D., wär's dir anders ergangen. Dort sieht man, was die neue Zeit aus den Menschen macht. Viele Schwarze kamen in die DDR, aus Afrika, aus Kuba, und nie gab's irgendwelche Probleme! – Aber sie kamen nicht nach Eberswalde oder Crimmitschau oder Quedlinburg, widersprach Dr. Siebert, sie hielten sich brav an die Hauptstadt der DDR.)

Also. Die aufgelöste DDR, die den kalten Bürgerkrieg gegen die Bundesrepublik verlor, sie ähnelt am stärksten den amerikanischen Südstaaten. Auch hier verklärt man die Vergangenheit durch einen noble cause, der sich abzuspalten erforderte, den Sozialismus. Gewiß, er mißlang völlig; aber die Idee des Sozialismus berührt nicht, daß die DDR als erster deutscher Arbeiter-und-Bauern-Staat scheiterte. Die BRD dagegen folgt gar keiner großen Idee. (Freedom and democracy, was ist das schon, bekräftigt D. und nimmt einen Schluck von ihrem Orangensaft, frisch gepreßt.) Rein materielle Erfolge begründen sie, und wenn die ausbleiben, wer weiß, die BRD bricht schneller zusammen als seinerzeit die DDR …

In einer seltsamen Mischung aus Hochmut und Wehmut, so Leroi, sprachen die Einheimischen zu ihm über die ehemalige DDR, und in genau diesem Sound redet der amerikanische Süden über sich selbst. Ich sagte ihnen aber immer wieder, so Leroi, daß sie dann bald was erfinden müssen, was den Westen und dann die ganze Welt erobert. So etwas wie William Faulkner oder den Rock 'n'

Roll. »Kreiert eine Mode, habe ich ihnen immer wieder gesagt, ein unverwechselbares Genre.«

Aber wie steht es um das Bier, das man an jenem Sonntag in Oxford, Mississippi, unserem Freund R. verweigerte? Das ist ja wie in der DDR, kicherte D. seinerzeit, als man dann bei Cola, Wasser, fruit juice den heißen Abend beendete.

Hamwa nich, sagte man dort – hier geht's um religiöse Dinge, widersprach Dr. Siebert. Bier gibt's im Überfluß, aber man schändet den Sonntag, wenn man Alkohol trinkt.

So entstand eine interessante Erzählung, wie der Mangel in der DDR sich einerseits aus den Fehlern der Planwirtschaft herleite; andererseits aus ideologischen, nun ja: religiösen Entscheidungen. Wie der Bürger von Oxford, Mississippi, sich sonntags des Alkohols enthält, so der sozialistische Bürger all der überflüssigen Waren, die der Kapitalismus dauernd auswirft. Wozu 36 Sorten Eiscreme?

Verschiedene Anwendungen

Phoenix, Arizona. Gegen halb zehn suchen wir ein Restaurant für das Abendessen. Es will sich aber partout keines finden.

Schließlich landen wir bei Burger King, ziemlich weit oben in der Central Avenue. Nur ich bestelle keinen Hamburger, ich will ein Chicken Sandwich und bin, weil es neben den Hamburgern überhaupt angeboten wird, schon fast der Überzeugung, daß es doch gar nicht so schlimm stehe um Burger King und die Standardisierung des fast food. Freilich fällt der Side Salad aus, den ich gern gehabt hätte. Sorry, the salad bar is closed.

Ein längliches Brötchen, fest in Papier verpackt und in der Mitte längs aufgeschnitten, aus einem kleinen Karton zu heben; das Hühnerfleisch ist heiß, paniert, dazu ein paar Salatblätter und Mayonnaise.

Das Zeug schmeckt auf eine durchdringend ekelhafte Weise ganz vorzüglich. Und nachdem ich es verzehrt habe, komme ich flugs zu der Überzeugung, ich brauche noch eines!

Danach aber weiß ich genau, wie ekelhaft es war. Beinahe ängstigen mich Vergiftungsgefühle. Womöglich sollte ich es wieder auskotzen, wenn ich in meinem Hotelzimmer bin?

Dies könnte D. in ihr Notizheft geschrieben haben (daß die salad bar geschlossen sei, erinnert ja wieder stark an das hamwa nich in der DDR). Die Aufzeichnung erzählt es als Allegorie: Wie eine Ostbürgerin, die fast food als Inbegriff des amerikanischen Kulturimperialismus verachtet, ihm gründlich verfällt und sich dann dafür haßt.

Wenig später, nachdem die Sowjetmacht stürzte, entsteht als eine solche Allegorie das erste McDonald's auf dem Roten Platz in Moskau und weckt in gewissen Kadern nationalistische Wut. Immer wenn es in den folgenden Jahren darum geht, daß das amerikanische Kapital die Welt unterwerfe und ihre vielfältigen Kulturen gleichschalte, dienen die Hamburger-Restaurants als schlagendes Exempel, das jede andere Beweisführung erspart. Hinter dem amerikanisierten fast food baut sich eine weitläufige Phantasmagorie auf, welches Schlaraffenland authentischer Eßkultur es allüberall auslösche. Dabei wird zwischen authentischer und standardisierter Küche so polemisch unterschieden, als kreiere diese ihre Speisen jeden Tag neu und verzichte auf Rezepte, also standardisierte Verfahren.

Zwar fehlt mir eine Erklärung der Wut auf McDonald's und Burger King (keine Ahnung, ob letztere Marke ein Wortspiel um egalitäre Ideale betreibt). Aber ich kenne sie aus eigener Erfahrung. Als eines Tages hier in Kreuzberg eine Burger-King-Filiale aufmachte, wünschte ich ihr tödlichen Mißerfolg. Sie werde rasch eingehen – sie werde in der Konkurrenz der einheimischen Küche unterliegen. Diese einheimische Küche aber verkörpert Döner Kebab, geschnetzeltes Fleisch mit Zwiebeln, Salat und Soße in einem aufgeschnittenen Brot. Eine Speise, die Türken in Deutschland einführten und die, betrachtete man die Machart und die Ingredienzien, dem Hamburger ähnelt. Wie dieser ist Döner Kebab ortlos: In Istanbul, in der Türkei, heißt es, gibt es keinen; es handelt sich um das Produkt einer imaginären ethnischen Küche, die in Deutschland gepflegt wird. Doch gilt Döner Kebab im Unterschied zum Hamburger als authentisch, und nur Restidioten erkennen es als einen Akt des Hochverrats, wenn ein deutscher Mensch dies belegte Brot verzehrt.

Die Unterscheidung zwischen authentisch und standardisiert verkriecht sich also mal wieder in die feinen Unterschiede. Unvergeßlich, wie mir ein Politikprofessor mal seine Amerikafeindschaft erklärte: Am Hamburger hasse er besonders, wie die Kids ihn mit beiden Händen packen und sich vorbeugen, wenn sie hineinbeißen, weil ihnen Soße oder Belag auf die Klamotten fallen könnten. So trat der Professor einem Verein bei, der die Amerikafeindschaft dadurch pflegt, daß er fast food (typisch amerikanisch) bekämpft und langsame Küche, slow food, propagiert. Ich war schon so verärgert über diese Distinktionsgewinnlerei, daß ich keine Lust auf genußreiche Erläuterungen, was das denn sei, mehr verspürte. Sire, geben Sie Gedankenfreiheit, spottete mein alter Freund Achim, der Redakteur, warum soll nicht im Hinblick aufs Essen jeder nach seiner Fasson selig werden? Freiheit ist immer die Freiheit des Andersessenden.

Für unseren Zusammenhang hier gilt: Wer bei Burger King, McDonald's etc. Hamburger (oder ein anderes Angebot) verzehrt, nimmt teil an einem imaginären Amerika; und wer Hamburger etc. durch Worte oder Alternativgerichte bekämpft, ebenso. »Jeder Schluck Barolo ist ein Schlag in die Fresse von Coca-Cola.«

Offenbar handelt es sich um eine Auseinandersetzung zwischen Älteren und Jüngeren. Diese essen mit Gusto bei McDonald's, und das liest sich wie ein Statuszeichen, wie Rock 'n' Roll, Blue Jeans und Ringelsocken (mittels deren die Halbstarken in der BRD und die Hooligans in der DDR sich seinerzeit kenntlich machten bzw. diskriminiert werden konnten). Mittels Musik, Klamotten und Speisen offeriert sich Amerika der Jugend in den verschiedenen Ländern der Erde, und wenn die Jugend diese Angebote annimmt, kann das Generationskonflikte erzeugen (der Professor aus Leipzig sollte sich erinnern, wie in seiner Jugend Amerikanisches an ihm bei Eltern und Lehrpersonen Ärger machte – damals, wendet er ein, war Rock 'n' Roll noch authentisch und kein funktionales Äquivalent zum Hamburger-Dreck).

Unsere Reisenden kamen aus der Wüste zu Burger King. Dem Verkehrsschild zufolge führte die Straße nach Santa Cruz, aber dann endete der Asphalt plötzlich. Man stieg aus und ging ein paar Schritte, nach vorn und hinten, rechts und links. Graugelber Sand, spärlich mit trokkenem Gras und Gestrüpp bewachsen, in flachen Hügeln. Und Kakteen! Gleich muß Dr. Siebert in eine hineingreifen, weil sie mit Kaktusfeigen bestückt ist, und seine Finger sind gespickt mit feinen Stacheln, von denen D. weiß, daß Widerhaken sie in seiner Haut festhalten. Die Hand entzündet sich, weiß D., und quält ihn mit Schmerzen und Fieber für den Rest der Reise. So ergeht es einem, der in fremden Landen keine Vorsicht walten läßt (wieder meint man als Folie die DDR zu erkennen).

Am Horizont endet die graugelbe Sandhügellandschaft in blaugrauen Gebirgszügen. Stille und schwacher Wind; die Abenddunkelheit setzt ein. »Hier ist es ja richtig schön!« Die Gebirgszüge überragt auf der ganzen Horizontlinie ein wild-gewittriges Wolkentheater, während der gewölbte Himmel blau und klar bleibt. Niemals, lernen die Reisenden an den folgenden Tagen, kommen abends die Gewitter über die Stadt, um die brennende Sommerhitze zu löschen. An einem Nachmittag tritt Dr. Siebert ans Hotelfenster und findet die Straße unsichtbar: ein dichter Vorhang aus Sand verhüllt sie – aber als D. aus dem Bett herbeieilt, ist der Sandsturm bereits verebbt, der Vorhang ist wieder offen, und das Fenster zeigt das banale Bild von Phoenix, Arizona.

Morgen fahren sie in einem Auto, das die Klimaanlage so gründlich von der Umwelt unterscheidet, daß man einen Schreck kriegt, öffnet man die Tür nach draußen in die Hitze. Morgen fahren sie bei voller Tageshitze in die Wüste hinaus. »Als wären wir in einem Western!« Sie besichtigen ein Indianerreservat und lassen sich vom Häuptling die traurige Lage schildern: Rassische Diskriminierung, schlechte ärztliche Versorgung, wenige Ausbildungschancen, Arbeitslosigkeit, Alkohol. »Aber der Häuptling selber wirkte kraftvoll und kompetent«, schwärmte Dr. Siebert später (keine Spur mehr von den Kakteenstacheln an seinen Händen), während sie ein indianisches Architekturwunder bestaunten: in die Wüste wurde eine mannshohe Mulde gegraben, die ein dichtes, trockenes Gestrüpp überwölbt; und unten in der Mulde herrscht Kühle wie in dem klimatisierten Auto! (R. schrieb sich den Namen des imposanten Häuptlings in sein Notizbuch: »Urban Giff«.) Warum nutzen, rief D. später, wir nicht solche wunderbaren Erfindungen …

D. schwärmt für das Unglück der Native Americans. Viele Filme in der DDR erzählten ihren erfolglosen Kampf gegen die europäischen Eroberer parteilich, als könne der Sozialismus sie den Proletariern aller Länder eingliedern. Hier befinden wir uns, weiß D., auf der schwarzen Seite der Geschichte; der Reichtum und die Freiheit der USA gründen auf der Zwangsarbeit der Negersklaven, Freedom and Democracy setzen voraus, daß die Indianer vertrieben sind. »Das weiß doch jedes Kind.« Sodann könnte ich D. davon träumen lassen, daß die Native Americans – so zeigt es der kühle Erdbau in der Wüstenhitze – ein ganz anderes, ein nicht-ausbeuterisches Verhältnis zur Natur entwickelten, ganz anders als die Einwanderer, die inzwischen mit ihrem Amerika an der Spitze von Kapitalismus und Industrialismus stehen. »Nicht mal die natürliche Sommerhitze halten sie aus, sie brauchen Autos mit Klimaanlagen.« Unterdessen streiften sie durch so etwas wie den Museumsshop der Reservation, und Dr. Siebert erwarb so eine Lederschnur, die man statt des Schlipses trägt, ein bolo tie, oben unterm Kragenknopf hält sie eine Schließe aus Metall, mit einem Ornament oder Edelstein geziert, zusammen (in den Fünfzigern sollte das mal Männermode in der BRD werden, was aber, anders als bei den Blue Jeans, mißlang). D. fand den indianischen Halsschmuck an ihrem Dr. Siebert scheußlich.

Daß Völkerwanderungen Einheimische vertreiben, versuchte R. zu sänftigen, komme in der Geschichte doch regelmäßig vor. D. stamme aus Rostock? Was ist aus den Obodriten geworden, die dort einst siedelten? Niemand denke sehnsüchtig an sie zurück, und das mache den wesentlichen Unterschied zu den USA. Hier begann man bald zu bedauern, wie die Kolonisten die Einheimischen traktierten, jede Menge Abbitten an die Irokesen und die Apachen und die Seminolen und die Cheyenne. Die Namen der Stämme rechnen zum Weltkulturerbe – »während du von den Obodriten eben zum ersten Mal gehört hast«. Auch für das romantisch-sehnsüchtige Verhältnis der Einwanderer zu den Einheimischen findet man viele Belege, daß sie im Grunde die Überlegenen waren …

> Die Weißen, die das Land seit mehreren Generationen besitzen, die überall Siedlungen gebaut, Kohle aus der Erde gefördert, das Land mit Eisenbahnen überzogen, mit kleinen und großen Städten bedeckt haben – sie besitzen in Wahrheit nicht einen Zollbreit Boden auf dem ganzen Kontinent. Das Land gehört immer noch einer Rasse, die körperlich nicht mehr existiert. Die rothäutigen Menschen sind, obwohl sie aus dem wirklichen Leben gänzlich verschwunden sind, die Herren des amerikanischen Kontinents. Ihre Phantasie hat es mit Geistern, mit Göttern und Dämonen bevölkert. Und das ist so, weil sie zu ihrer Zeit das Land geliebt haben. Den Beweis für das, was ich sage, erblicken Sie überall. Wir haben es nicht vermocht, unseren Städten aus

> Eigenem schöne Namen zu geben, weil wir die Städte nicht schön zu bauen vermochten. Wenn eine amerikanische Stadt einen schönen Namen trägt, so ist er einer anderen Rasse gestohlen – der Rasse, die das von uns bewohnte Land noch immer besitzt. Wir alle sind hier Fremdlinge. Wenn Sie nachts allein sind auf offenem Felde, irgendwo auf dem amerikanischen Boden, so versuchen Sie sich der Nacht hinzugeben. Sie werden erfahren, daß die weißen Eroberer nur den Tod in sich tragen und das Leben nur den rothäutigen Menschen blieb, die verschwunden sind.

Einen der nächsten Abende verbrachten unsere Reisenden bei ganz anderen Indianern: Anhängern der Republikanischen Partei – wie man ihnen versprach –, die, so sagte es der Reiseführer, in Phoenix, Arizona, solide die Mehrheit stellen. Der Community freilich, der unsere Reisenden angehören, blieben die Republikaner immer fremd (um es freundlich zu sagen – eine Fremdheit, die sich anläßlich von George W. Bush zu schwerem Haß auswuchs seit seinem Irakkrieg). Wenn überhaupt, hängt diese Community demokratischen Präsidenten an. In jedem Fall steht der amerikanische Präsident seinen deutschen Zuschauern viel zu nahe, was mit der Geschichte zusammenhängt, die hier erzählt wird.

Das Ehepaar Nancy und Dirk Bossert lädt regelmäßig zu solchen Dinners in sein Haus ein; das letzte Mal war's ein Student aus Botswana. Wir müssen uns dicht nebeneinander vor eine Palme an der Hauswand stellen, dann knipst uns Nancy mit einer einfachen Automatikkamera und verspricht, sie werde uns die Fotos zuschicken. Ich grinse in das Objektiv und weiß, daß es schrecklich aussieht.

Es ist fast elf, als wir zurückfahren, und R. stellt fest, daß es ungewöhnlich spät geworden sei. Sehr lange bringe man diese Art Konversation ja nicht zustande ohne schwere Erschöpfung. Du hast fast den ganzen Wein ausgetrunken! sagt Dr. Siebert.

Ich muß mich mühsam erinnern, worüber wir die ganze Zeit sprachen.

Die Studenten aus aller Herren Länder, mit denen Dirk Bossert in seiner Schule für Wirtschaftskunde zu tun hat – dieser Chinese zum Beispiel, dessen Name sich ganz anders aussprach, als er sich schrieb. Das Leben des Handelsreisenden, das Dirk Bossert als Vertreter einer Motorenfirma führte, heute Paris, morgen Tokio, irgendwann war es genug, da ergriff er diesen Job als Wirtschaftsprofessor. Das Leben im Norden, an den großen Seen – jetzt das Leben im Süden; besonders die Winter sind zaubrisch schön. Für den Sommer muß man sich daran gewöhnen, daß die Hitze draußen unerträglich ist. Also in dem klimatisierten Haus bleiben, vor allem über Mittag, sonst fühlt man sich gleich wie verbrannt. Auf kurze Strecken kriegt die Klimaanlage das Auto leider nicht kühl – der Sommer im Süden ist wie der Winter im Norden, bloß umgekehrt, dort wird das Auto auf kurze Strecken nicht warm, und statt der Hitze quält die Kälte. Es soll aber die Hitze sein, die so unglaublich viele Leute nach Phoenix

Dies könnte George Willard sein, ein stadtberühmter Journalist. Der Ruhm ergibt sich daraus, daß er in seinen schriftlichen und Radio-Arbeiten die Stadt gewissermaßen verdoppelte und sich selbst zur Anschauung brachte – als Schüler des legendären Studs Terkel, der mit seinen Interviews die Disziplin der Oral History begründete: Die Leute erzählten frei schweifend in sein Mikrophon, und die Kunst bestand darin, das im Radio Hörbare und im Buch Lesbare so natürlich wie möglich erscheinen zu machen.
George Willard kam in seinen jungen Jahren aus Winesburg, Ohio, in die große Stadt, um sein Glück zu machen, wie man sagt, in pursuit of happiness. Wiewohl die kleine Stadt den jungen Mann mit seiner Familie und seinen Freunden, mit der Landschaft ringsum, mit Kindheitserinnerungen eng bindet, schon gar mit der Liebe, im Fall George Willards hieß das Mädchen Helen, Helen White – gerade deshalb muß der junge Mann sich von alldem losreißen wegen der großen Stadt.
Schriftsteller wollte George Willard dort werden und den Großen Amerikanischen Roman schreiben, in dem die ganze Republik sich erkennt.

zieht. Die Stadt wächst schneller als jede andere in den USA.

Ich kann daran nichts Republikanisches finden, sagt Dr. Siebert auf der Rückfahrt. So hätte sich die Unterhaltung mit Demokraten sicher auch gestaltet. Vielleicht ist es republikanisch, so R., sich nicht als Republikaner zu erkennen zu geben und politische Themen bei einem solchen Abendessen zu vermeiden. Mit Demokraten hätte man gleich wieder die Weltlage bekakelt.

Mir erklärte Nancy Bossert genau, während wir am Swimmingpool die Drinks nahmen, warum sie nur Plastikbecher verwendet. Die zerbrechen nicht; es können keine Scherben ins Wasser fallen, man muß nicht fürchten, im Pool mit nackten Füßen draufzutreten und sich zu verletzen.

So blieben sie unseren Reisenden verborgen, die Republikaner, die Reagan zum Sieg über den guten Mondale, George W. Bush über den guten Gore, Alan Richmond über den guten Bartlett verhalfen.

Grand Canyon. Ich spaziere auf der äußersten Kante, die sich rechts und links vom Hotel erstreckt, nur mit größter Ängstlichkeit entlang. Jeder Blick in die Tiefe erzeugt das bekannte saure Gefühl in den Waden – aber das ist noch nicht alles: Die Ängstlichkeit nimmt zu, sobald die anderen Spaziergänger verschwinden und ich allein bin auf dem asphaltierten Weg.

Es dauert ein Weilchen, bis ich die Phantasie zu fassen bekomme, die mich ängstigt: Jederzeit könnte ein Jüngling aus dem Gebüsch hervorkommen und mich in den

Abgrund stoßen. Ein acte gratuit, wie es in dem französischen Roman heißt, den D. gerade liest (um sich, wie sie sagt, von den USA zu erholen); der Jüngling heißt Lafcadio Wluiki. Dort stößt er grundlos einen bigotten Spießer aus dem Eisenbahnzug; hier bei dieser Schlucht würde es sich richtig lohnen.

Unterdessen versammeln sich drei Gewitter am Horizont. Gewisse Partien des Tales, die bislang im Sonnenschein wie frisch aufgeschnittenes Fleisch leuchteten, werden matt. Sodann beschäftigt mich ein Erbsengrün, das jetzt ganz ins Graue verblaßt.

R. versäumte in sein Notizheft zu schreiben, was er bis heute von dieser Landschaft erzählt. Wie sie mit dem Auto von Phoenix über Flagstaff anreisten. Wie sich eine langweilige Hochebene mit niedrigem Busch- und Baumbewuchs hinzieht und den Gedanken an die grandiose Landschaft, die sich gleich rechter oder linker Hand auftut, verunmöglicht: Sie begannen zu spotten in ihrem gekühlten Wagen, hier soll der Grand Canyon zu finden sein, in dieser Öde? Die wollen uns foppen. (Die Öde heißt Coconino Plateau.)

Dann geht es durch einen dünnen Baumbestand, gegen den der Berliner Grunewald urtümlich wirkt (spottet D.), und man erreicht den Ort namens Grand Canyon, nichts Nennenswertes, und das Hotel, immer noch in der Überzeugung, daß sich das irgendwie gleich als Mißverständnis erweist, oder der Grand Canyon schaut ganz anders aus als auf seinen Fotografien.

D. – Ladies first – war zuerst mit dem Einchecken

durch und verließ die Hotellobby in der Gegenrichtung zum Parkplatz, von dem sie gekommen waren. Im Freien sah R. sie stehenbleiben und in die Hände klatschen. Sie drehte sich um und winkte dringlich, R. und Dr. Siebert möchten sofort herauskommen und schauen, und noch heute, viele, viele Jahre später wollen R., wenn er davon erzählt, Tränen in die Augen steigen (»als käme man in New York mit dem Schiff an, und Manhattan steigt mit seinen Hochhäusern aus dem Meer«).

Es heißt, der Entdecker des Grand Canyon sei, aus dem Wald des Hochplateaus heraustretend, in Ohnmacht gefallen. Solche Expeditionen in das unbekannte Land erforderten angespannte Geistesgegenwart, und was den Entdecker, wenn die Geschichte stimmt, mit voller Kraft traf, war die Wirklichkeit dieser Landschaft, das Erhabene. Touristen ergeht es anders; sie schweben in einem Tagtraumzustand durch ihre Gegenwart, und was R. sogleich erfüllte, war eine Art Unwahrscheinlichkeitsgefühl, »das gibt es nicht. Das kann doch nicht wahr sein.«

So erging es auch D. und Dr. Siebert. Blöde lächelnd blinzelten sie in die Abendsonne und ließen sich über die Spazierwege treiben; das Gefühl von Unwahrscheinlichkeit war zugleich ein Glücksgefühl. Keine Instanz forderte, nun mach dir mal richtig klar, daß du vor einer der erhabensten Landschaften des Planeten stehst. Wird Zeit, daß das Nichtverstehen dich demütig macht und ergeben, ja fromm. Tatsächlich fotografierte R., als der Abend weiter fortschritt, eine Gruppe vor den sich verdunkelnden Tiefen, stehend oder hockend oder ausgestreckt lagernd, in Anschauung versunken.

Zwei Jahre später konnte man in Europa einen schönen Film aus Hollywood sehen, wie eine Gruppe von Bürgern aus Los Angeles, gequält von den Anstrengungen des modernen Lebens, einen Ausflug zum Grand Canyon unternimmt, eine zivilreligiöse Übung, die Lebensmut und Gemeinsinn kräftigt. Dr. Siebert verabredete sich für den Film noch einmal mit D.; und auch sie, trotz der großen Reise von ihrer Amerikafeindschaft nicht richtig geheilt, rührte der Film an, »wir Menschen«. Man kann sich einbilden, am Grand Canyon trete der Planet so in Erscheinung, daß man ihn, wiewohl Teil davon, als Ganzes zu sehen bekomme, was ja unmöglich ist. Zu den einheimischen Ritualen, war unseren Reisenden erzählt worden, rechnet angeblich, daß Vater und Sohn einmal im Jahr hinabsteigen, was mehrere Tage braucht, und so ihr Verhältnis zueinander und zu Amerika auf mystisch-sportliche Weise kräftigen. Es ist wie mit dem Blockhaus, lachte der Erzähler, von dem angeblich jeder amerikanische Junge sich wünscht, daß Dad es gemeinsam mit ihm baue.

Bleibt Lafcadio Wluiki, der R. in einem Akt ohne Grund in den Abgrund stürzt. Ich weiß auch nicht warum. Ich weiß, daß R. seine Phantasie in dieser Nacht heftig mit der Liebschaft von Dr. Siebert mit D. beschäftigte, die ihn die ganze Zeit indifferent ließ, wie er behauptet hätte, die straffe Oberlippe, das Achselhaar, die großen Brüste. Merkwürdigerweise fand der Liebesakt im Freien statt, in einem Gebüsch am Abgrund (während R. in seinem Hotelbett ruhte). Sie lagerten dort eng beieinander und schauten in die Dunkelheit, und D. öffnete die Hosen von Dr. Siebert, wobei ein starker Geruch in ihre Nasen stieg, wie von einem zertretenen Käfer. Sie sahen gemeinsam zu, wie ihre Hand die lockere Haut auf und nieder schob, auf und nieder, bis er sein weißes Zeug ausspuckte. Er schloß die Augen, aber er wußte, daß sie ihn weiterhin fest ansah, und das machte ihm Mut, und er öffnete sie im Augenblick der Ekstase. Beide erstaunte, was sie sahen. »Wie hoch es springt«, flüsterte sie und wischte ihre Hand am Gras ab …

Aber so steht es in einem Roman von John Updike, den R. erst viele Jahre später las, mit der Eisenbahn unterwegs von Wien nach Berlin, die regennassen Straßen in Tschechien, und gewiß spielt die Szene zwischen einem Jüngling und einem Mädchen und schildert deren sexuelle Einweihung, die bei D. (36) und Dr. Siebert (45) doch schon etwas zurücklag. (Von seinem aufmerksamen Vater lernte Dr. Siebert als Jüngling, sich regelmäßig die Eichel unter der Vorhaut zu waschen, wollte er Gestank vermeiden – der zertretene Käfer ist einer von Updikes brillanten Einfällen.) Vielleicht sollen wir es so verstehen, daß R. (45) mit dem Besuch am Grand Canyon sich zu verjüngen träumte? Wieder ein Jüngling sein, den ein Mädchen sein Sperma in den Abgrund spucken läßt, ein erhabener Abgrund, eine tiefe und weite und also höchst angsterregende Schrunde in Mutter Erde …

Nein, so kommen wir nicht weiter. Überhaupt müssen wir mal wieder über unsere Geschichte nachdenken, Amerika, wie Deutschland es seit 1945 träumt, wie die Westdeutschen imaginäre Amerikaner wurden. Eigentlich könnte man sich das Reisen dorthin, die Berührung mit der Wirklichkeit sparen. Doch macht sich der Reisende auch gar nicht handgemein mit der Wirklichkeit, er schwebt in einem Tagtraumzustand an ihr entlang. So eignet sich das Reisen exquisit zum Phantasieren.

Aber muß es Amerika sein? Keineswegs; Tschechien geht ebenso wie Japan oder die Sahara oder Rügen. Bloß ist es hier wirklich Amerika, und die Reise sollte mit Amerika wirklich bekanntmachen und die einschlägigen Mythologien auflösen, um Kenntnisse an die Stelle der Phantasmen zu setzen.

Mißlingt. Reisend die Realität zu berühren, das verstärkt das Phantasieren; eine Realität, die im Fall des Grand Canyon oder der Wüste, in die Phoenix sich ausdehnt, schon unwirklich genug ist, weil grandios. Viele Jahre später sah sich R. in dem Imax-Kino am Potsdamer Platz zu Berlin den Film über den Grand Canyon an und war enttäuscht. Die Kamera bewegt sich im Hubschrauber leichthin durch das Unwahrscheinliche, und so geht der Effekt verloren, dessen der Reisende in vivo inne wird: Die Landschaft ist unverrückbar wirklich – man fliegt nicht hindurch wie im Traum, man steht fest an ihrem Rand – und ganz und gar unwahrscheinlich, »das gibt's doch nicht«.

Der zentrale Unterschied zu den Alpen, pflegte R. später seinen Zuhörern in Deutschland zu erklären, man ist schon oben, statt erst von unten nach oben zu schauen und dann hinaufzuklettern oder zu fahren. Gleich schaust du vom Gipfel ins tiefe Tal – ja, in der Tat, ein wenig macht das denselben Effekt wie die Kreidefelsen von Rügen, der Königsstuhl, die Wissower Klinken, wobei das Meer das Hinzutretende sei, die Unendlichkeit. »Auch hier vermeint man, wiewohl auf ihm stehend, den Planeten als Ganzes zu überblicken, was ja unmöglich ist.« Insofern befruchte ein Besuch am Grand Canyon den Besuch auf den Kreidefelsen von Rügen. »Und wenn die Dämmerung kommt, verwandelt sich die See vollkommen ins Imaginäre.« So kann der Grand Canyon einheimische Landschaften hinterfangen und in ihrer Wirkung vervollkommnen; so wie einst der Missouri den Bach namens Pfieffe, ja Pfieffe, im lieblichen Tal.

Die nächste Station hätte Los Angeles bilden können, wo so viele amerikanische Kriminalromane spielen. Und Hollywood, wo wir R. und Dr. Siebert beobachtet hätten, wie sie die Studios besichtigen und sich über das Kino austauschen, das sie seit ihrer Kindheit mit solcher Notwendigkeit besuchen, als ginge es um Nahrungsmittel; und das im Lauf der Jahre immer deutlicher Hollywood wurde – »ohne Robert de Niro wäre mein Leben ärmer; während ich auf Hölderlin gut verzichten könnte«. Gleichzeitig schwindender Appetit auf deutsche und schwedische, französische und italienische Filmkunst, »dann lieber britische TV-Serien!«

In Hollywood könnte ich R. von seinem ersten großen Kinoerlebnis erzählen lassen, ein Film aus 1001 Nacht, in einem Kino namens Marmorhaus (klingt ebenfalls nach 1001 Nacht), am Kurfürstendamm in Berlin. »Das muß 1947 gewesen sein – ich war also vier Jahre alt.« Der Film handelte von einem schönen Prinzen, der um seine Rechte auf den Thron gebracht werden soll und dem ein niedlicher junger Dieb hilft, sie zurückzugewinnen (»das war natürlich ich«). Der Feind des Prinzen ist der Großwesir (»wurde ein richtiges Kinderwort: Großwesir; poetisch, weil ich mir nichts darunter vorstellen konnte«). Der Großwesir aber ist Conrad Veidt, ein ehemals deutscher Star, der emigrierte. »Und so ist es bei uns geblieben: unsere Stars waren die Emigranten, im Kino wie in der Wissenschaft wie in der Literatur.«

Dr. Siebert könnte R. darauf hinweisen, daß dieser Film (den er selber als Kind gleichfalls sah) aus Großbritannien stammt und nicht aus Hollywood. Aber egal. Das Kind war begeistert. Wie Conrad Veidt zum Schluß sein künstliches Pferd besteigt, das fliegen kann – er ist auch Zauberer –, aber ein Pfeil trifft ihn mitten in die Stirn, und weil er stirbt, bricht seine Kreatur, das Pferd, auseinander und fällt in Stücken zur Erde. Der Film, fährt jetzt wieder R. fort, gab ihm im Marmorhaus zu Berlin des weiteren eine kleine Einführung in die Erotik. Es kommt zu Zungenküssen zwischen dem Prinzen und seiner Liebsten, und da fragte der Vierjährige Mutter: »Warum zittern die denn so?« Was eine Dame in der nächsten Reihe zischen machte: »Das kommt davon, wenn man so kleine Kinder mit ins Kino nimmt.« Da könnte man jetzt schön spekulieren, wie sich für das Kind mit dieser Szene unauflöslich das Kino und die Erotik und das Rätsel und das Verbot verbanden …

Conrad Veidt, schließt Dr. Siebert an, ist uns doch allen vollkommen unvergeßlich als der SS-Mann, der Casablanca daraufhin kontrolliert, ob es sich wirklich neutral verhält im Krieg zwischen Nazideutschland und den Alliierten. »Ich habe den Film bestimmt zehnmal gesehen.

Und du wirst es nicht glauben: Wenn die SS-Leute *Die Wacht am Rhein* singen und die anderen Gäste von Rick's American Café dagegen die Marseillaise und sie die Deutschen allmählich übertönen, kommen mir regelmäßig die Tränen. Eine Art Siegesfeier. Und ich als Kinogeher bin auf der richtigen Seite dabei.«

Und so könnten sie immer weitermachen, von Rick auf die anderen Filme Humphrey Bogarts kommen – der Philip Marlowe, den exemplarischen Privatdetektiv von Los Angeles, so exemplarisch verkörperte. Oder auf Michael Powell, einen der Regisseure des *Dieb von Bagdad*, der nach dem Krieg die Karriere eines österreichischen Filmschauspielers, der gern den jungen Kaiser Franz Joseph gab, gründlich ruinierte, indem er ihn einen mörderischen Kameramann spielen ließ, der den Todesschrei seines Opfers abzufilmen liebt. Sie könnten auf den berühmtesten deutschen Film mit Conrad Veidt kommen, worin er die Marionette eines größenwahnsinnigen Irrenarztes mimt, und rasch einig sein, daß sie Stummfilme nur ausnahmsweise mögen (während Schwarzweißfilme ihnen regelmäßig Heimweh machen), und so entstünde ein immer weiter sich verzweigendes Netz aus Kenntnissen, Einfällen, Erinnerungen, das alle Kinogeher zu einer eigenen Erzählgemeinschaft verbindet.

Meine Lieblingsanekdote dazu geht so. Nach einer TV-Diskussion, weder langweilig noch aufregend, wollte ich mein Buch nehmen und essen gehen und lesen und a couple of beers trinken. Ein anderer Diskussionsteilnehmer, der Kurator des Kunstmuseums in Erlangen (ich erfinde), bat aber, sich anschließen zu dürfen. Natürlich

Immer wieder erhebt der Reisende in den großen Städten seine Augen gegen den Himmel, gegen die Turmhäuser. So sieht Amerika aus, wie er schon vorher wußte; aber jetzt kennt er es auch.
Dann schaut der Reisende nach unten, auf die Straße, das Trottoir. Dort entdeckt er zuweilen, was er noch nicht wußte, was ihm ganz unbekannt war. Sandsäcke aus Plastik, mit denen man hier Verkehrszeichen sichert, die nur kurzfristig Bau- und Gefahrenzonen markieren sollen. Gegen den Wind sichert, der sie umblasen möchte.
Der Mann vom Kölner Straßenbauamt erinnert sich an die Betonklötze, mit denen man zu Hause solche Verkehrszeichen beschwert. Die Sandsäcke liefern ihm ein weiteres Beispiel, wie flüchtig und improvisiert Amerika zuweilen arbeitet. Unser Mann könnte dagegen die Kölner Gründlichkeit ausspielen. Doch bewundert er das Flüchtige und Improvisierte in der Neuen Welt. Immer wieder erklärt er die deutsche Gründlichkeit für übertrieben (»alles Kontrollfreaks«). Der Mensch kann sich auf der Erde nicht einrichten, als wäre es für ewig.

konnte ich das nicht abschlagen. So brachten wir unter mühsamer Konversation die Mahlzeit (irgend etwas echt Kölnisches) hinter uns, und irgendein guter Geist nötigte uns, statt der Trennung ein zweites Lokal aufzusuchen für a couple of beers. Und dort gerieten wir unmerklich und unwiderstehlich in eines dieser Filmgespräche hinein, nahmen teil an der großen Erzählgemeinschaft der Kinogeher, und es wurde ein lebhafter und angenehmer Abend, an dessen Ende wir als Freunde schieden (wie die ältere Erzählprosa zu sagen pflegt).

Hätten wir uns über Fotografie in derselben Weise austauschen können? Oder Malerei oder Literatur? Ich zweifle daran. Bei Fotografie wären wir bald darauf gekommen, daß mir die jüngsten Arbeiten von William Eggleston – die sein ganzes Werk in ein neues Licht tauchen – unbekannt seien; bei Lucian Freud hätte mir der Kurator erklärt, daß man sein Porträt der englischen Königin (das durch die Zeitungen ging) unbedingt im Original studieren muß, weil die Reproduktion keinen Eindruck von der Faktur gibt (ich reise aber nicht für ein einziges Gemälde nach London); und anläßlich von Jean-Philippe Toussaint wäre mir wieder mal klargeworden, daß mein Französisch zu schlecht ist, um das Original angemessen zu apperzipieren – die Übersetzung aber bringt's einfach nicht.

Ich hätte natürlich auch Beispiele erfinden können, die den Kurator blamieren. Der zentrale Punkt wird deutlich sein: Wenn es um Kunst und Literatur (oder auch Musik und Theater) geht, funktioniert connoisseurship als Exklusion. Rasch zeigt sich im Gespräch, wer wirklich dazugehört – weil er über die richtigen Kenntnisse und Einschätzungen verfügt – und wer draußen bleibt, weil er bloß herumdilettiert. Vermutlich machen Exklusion und Inklusion sogar den ultimativen Sinn aller Bildungsgespräche aus.

Bei den Kinogehern, bilde ich mir ein, läuft das anders. Ihre Erzählgemeinschaft ist »catholic« im englischen Sinn des Wortes, umfassend (»from Mother Church to Mother Cinema«). Als der Kurator gestand, daß ihm der dritte Teil des *Paten* unbekannt sei, verpflichtete er mich, ihm die Geschichte en détail nachzuerzählen, wie Michael Corleone es beinahe schafft, seine Unternehmen ehrlich zu machen – aber sein neuester und ehrenwertester Gesprächspartner, der Vatikan, befindet sich in den Händen der Mafia … Dann schwenkten (oder blendeten) wir auf die Mafia-Filme von Martin Scorsese, die der Kurator exquisit kannte, wie sie Angst und Schrecken erzeugen, während *Der Pate* von der Ordnung handelt, die noch jedes Verbrechen bekräftigt, was den Kinogeher auf archaische Weise erfreut und beruhigt.

Es mag sein, daß den Unterschied ums Ganze diese Geste macht: Zeigt sich, daß Kinogeher A. einen Film (noch) nicht kennt, versucht Kinogeher Z., ihn so anschaulich wie möglich zu erzählen. Oder die beiden streben geschwind zu einem anderen Stoff, den man dann wieder teilen kann. Alles kommt darauf an, das Filmgespräch fortzusetzen; Unkenntnis wird ad hoc beseitigt oder übergangen.

Dagegen muß man schon bei ganz jungen Literatur- oder Kunstwissenschaftlern, die eben ihre erste Stelle innehaben, beobachten, wie sie auf die Erstsemester schimpfen, weil sie keine Ahnung haben, von den größten Werken des Kanons noch nicht einmal die Titel kennen. Wie wenig Bildung man in Vorlesungen und Seminaren voraussetzen kann, was die Lehrveranstaltungen so langweilig und platt macht. Die Unkenntnis der Studenten stellt nicht die Aufgabe, sie zu beseitigen oder zu umgehen; sie lädt zum Ausschluß ein.

Selbstverständlich kann man so auch mit Filmen verfahren, und der Kinogeher nennt gern Namen von Kritikern und Regisseuren, die er deswegen haßt. Aber Exklusion und Inklusion stellen für die Gemeinschaft der Kinogeher keinen höchsten Zweck dar, eher eine lästige Nebentätigkeit. Und das mag tatsächlich aus dem demokratischen Charakter des Kinos sich herleiten: Um Erfolg zu haben, muß ein Film die Klassenschranken, die in Kenntnissen und Geschmack sedimentiert sind, überschreiten und allen gefallen. Und hier erwies sich Hollywood, »das vierte Rom«, am erfolgreichsten, indem es alle Kräfte versammelte, Sabu aus Indien und Conrad Veidt aus Deutschland, und die Filmproduktion perfektionierte. Während sie auf dem Sunset Boulevard liebevoll die Handabdrücke der Stars identifizieren, könnte ich R. und Dr. Siebert immer wieder mit ihren Lobsprüchen auf das Kino zitieren.

Wie es nach 1945 in die deutsche Bildungselite eindrang, das gehört in das große Buch über Amerikanisierung, aus dem viele Jahre später R. in Chicago vortragen wird. Als Kind durfte R. oft ins Kino gehen. Seine Eltern, die der Krieg aus der großen Stadt aufs Land verschlagen hatte, hielten am Kinogehen als städtischer Gewohnheit fest. Dr. Siebert erzählt immer wieder von einem Mitschüler namens Kurt, dessen Vater ein Kino betrieb. Als bester Freund von Kurt durfte er sich mit Filmen vollaufen lassen. Nur ein solcher wahlloser Konsum läßt die Krautschicht der Erfahrung wachsen, aus der alles weitere entsteht (auch der passionierte Leser von Büchern muß ja eine Menge Dreck verschlungen haben). Und so verband sich das Kino bei R. und Dr. Siebert und ihresgleichen mit den Bildungsaspirationen, denen sie als Gymnasiasten und Studenten und Kulturträger nachhingen. »Das Kino gehört einfach dazu.«

1972, mit 30 Jahren, veröffentlichte ein vielversprechender Dichter österreichischer Herkunft, der seinen Ruhm mit sprachkritischen Theaterstücken begründet hatte, das Erzählbuch mit einer Reise durch Amerika, das seiner Schriftstellerei eine ganz andere Richtung geben sollte: Kino. Ich verzichte auf den Exkurs, warum das so angesagt war, warum Kino einen der Auswege aus den schrecklichen siebziger Jahren eröffnete für diese Community. Jedenfalls endet das Buch bei einem großen alten Kinomann, auf seiner Farm nahe Los Angeles, wo das verfeindete Liebespaar, das sich durch die Staaten verfolgte, Frieden findet, um sich zu trennen. Bei John Ford, der dem Genre des Western die klassischen Exempel lieferte, vor allem durch eine Form von filmischer Landschaftsmalerei. Er verkörpert Gott oder Abraham oder eine ähnliche monumentale Vaterfigur, in dessen Schoß man Sicherheit und Ruhe findet; es geht beim Kino um religiöse Erfahrung, Sinn und Geschmack fürs Unendliche.

Das sich aus zahllosen Einstellungen und Schnitten zusammensetzt, als würde gerade die Welt erschaffen.

Auf den gegenüberliegenden Hügeln blitzte es schon. Das Gras um uns herum war hoch, mit hellen und dunklen Schatten lief manchmal der Wind durch. Die Blätter der Bäume wurden umgedreht, flimmerten wie verwelkt. Eine Zeitlang war es windstill. Dann raschelte hinter uns ein Gebüsch, während alle anderen Büsche ganz ruhig blieben. Der Wind in dem Gebüsch legte sich, und einen Augenblick später rauschte unten neben dem Haus ganz kurz eine Baumkrone auf. Alles war dann ruhig, ohne Bewegung: eine lange anhaltende Windstille; und plötzlich rieselte zu unseren Füßen wieder das Gras. Man blinzelte, und schon war es ringsherum düster geworden, die Gegenstände dicht auf der Erde. Die Luft wurde drückend. Vor uns platzte eine dicke gelbe Spinne, die gerade noch auf einem Strauchblatt gesessen hatte. John Ford wischte sich im Gras die Finger ab, drehte dabei den Siegelring um, als ob er etwas herbeizaubern wollte. Auf meinem Handrücken kitzelte es. Ich schaute hin und sah einen Schmetterling, der gerade die Flügel zusammenfaltete; zugleich senkte Judith die Wimpern. Man brauchte nur einen Atemzug weniger zu tun, um es zu sehen. In den Orangenbäumen unten im Tal hörte man es schon regnen. »In der letzten Woche sind wir nachts durch die Wüste gefahren«, sagte John Ford, »drunten in Arizona. Es ist so viel Tau gefallen, daß wir die Scheibenwischer einschalten mußten.«

Richtig, was macht D., die Theaterfrau aus dem Osten, die ganze Zeit? Pflichtet sie fröhlich bei, wenn R. und Dr. Siebert über das vierte Rom schwadronieren? Erreichte auch sie in der DDR die ökumenische Erzählgemeinschaft der Kinogeher, die sich um Hollywood zentriert?

Nein, ganz und gar nicht. Zwar lernte auch D. schon als Kind das Kino hochschätzen – ihr Vater arbeitete als Theater- und Filmkritiker für die Gewerkschaftszeitung –, denn die DDR kanonisierte den Film von vornherein; keine Probleme damit wie im Westen. Aber die Meisterwerke, denen nachzueifern war, kamen aus der SU und Italien und Frankreich, seltener aus Großbritannien oder Schweden. »Wenn ich es mir genau überlege, sind alle meine Lieblingsfilme schwarzweiß.«

Hollywood war immer viel zu bunt und zu laut. Die Western vertraten bekanntlich die falsche Seite, Cowboys und Siedler statt der Indianer, »und, ehrlich gesagt, weiß ich nicht, was mich an den Sexualproblemen reicher Südstaatenfamilien interessieren sollte. Bei Kriminalfilmen dachten wir immer: Solche Verbrechen gibt's nur im Kapitalismus, und es tat uns die Polizei leid, die nie damit fertig wurde.« Irgendwie war's eben doch das Kino des Klassenfeindes; während die renommierten Regisseure Frankreichs oder Italiens offen ihre kommunistischen Neigungen pflegen durften, ging Senator McCarthys Hexenjagd, die so viele Hollywoodleute betraf, in die Legende ein: »Wir dachten sowieso, die haben Zensur, und da darf man nur Filme drehen, die politisch genehm sind.«

Damit begann übrigens das Ende der Liebschaft mit Dr. Siebert. Er versuchte, heimgekehrt, regelmäßig mit ihr ins Kino zu gehen, um auch sie in das immerwährende Filmgespräch einzuspinnen; aber die Filme, bei denen er gleich wohlig in seinem Kinosessel erstarrte und das blöde Babylächeln aufsetzte, erfüllten sie oft mit Unruhe und Mißbehagen. Wenn man aber spontanes Einverständnis verfehlt, bleibt hinterher beim Bier alle Liebesmüh umsonst.

Richtig Ärger machte ein Film, mit dem Dr. Siebert die siebziger Jahre präsentieren wollte (die in der DDR ja ganz anders ausschauten), eine verzweifelte Sexgeschichte in Paris; ein weit abgelegenes Kino führte sie eben noch einmal auf, vor leeren Sitzreihen, wie sich zeigte. Als Marlon Brando mittels Butter an Maria Schneider den Analverkehr vollzieht, eine seinerzeit besonders skandalöse, diskurserregende, unterdessen aber anrührende Szene – während des Sodomisierens predigt Marlon Brando düster wider Familie und Prokreation –, da griff D. ihrem Dr. Siebert in die Hose (»Theaterleute sind schamlos«) und brachte tatsächlich seinen Schwanz zur Aufstellung. Was ihn maßlos empörte. »Und ich dachte, der Film macht dich heiß. Deshalb sind wir hier.« Ihr blieb unklar, wie sie hinterher lustlos ausführte, worum es überhaupt ging und weshalb sie sich das anschauen sollte. »Und dein Marlon Brando ist doch die reinste Schmiere.«

Ihr fehlten die Jahre, die ganze Geschichte, in der Dr. Siebert und seinesgleichen einem Filmschauspieler wie

Marlon Brando immer wieder zusahen und darüber ein persönliches Verhältnis zu ihm entwickelten. »Er wurde Teil meiner Inneneinrichtung.« Dabei blieb es, als er unmäßig fett geworden war, »man beginnt als junger Wilder und endet als Walfisch«; da erörterte man halt fachmännisch, wie sein Gesicht trotz des Fetts immer noch das Anschauen lohne.

Auch D. hatte ein inneres Pantheon mit solchen Stars; Gérard Philipe, jung an Krebs verstorben, durfte man in der DDR offiziell lieben. Die Schauspieler des DDR-Theaters und des DDR-Films konnte D. genau charakterisieren, und sie freute sich, als sie im Film und im Theater und im TV der BRD nach der Wiedervereinigung wieder auftauchten. Aber Dr. Siebert die Qualitäten eines Michael Gwisdek nahezubringen, wäre ihr vollständig mißlungen. Inzwischen sehen sie einander nur noch ganz selten.

Im übrigen führte sie diese Reise, statt nach Los Angeles und Hollywood, nach San Francisco.

In der Lobby des Hotels Beresford Arms steht ein sehr alter Mann an einen Tisch gelehnt, hellgraue Hose und Cardigan. Die Halle ist mit rotem Teppichboden ausgelegt, die Möbel sind mit rotem Plüsch überzogen: So sieht man ihn gut.

Nachdem der alte Mann eine Weile an den Tisch gelehnt herumgestanden hat, geht er langsam und wacklig, aber entschlossen zu einem der Sofas und läßt sich mühsam darauf nieder. Dann sitzt er längere Zeit da herum.

Bis einer der Pagen kommt, ihm die Schulter tätschelt

und ein paar freundliche Worte mit ihm wechselt. Sie amüsieren den alten Mann, und er will aufstehen.

Aber das fällt ihm sehr schwer. Die Beine wollen ihn nicht tragen.

Aber daran ist er gewöhnt. Nachdem er ein erstes Mal zurückgesunken ist, nimmt er beide Hände und die Seitenlehne und die Rückenlehne des Sofas zu Hilfe. Es gelingt. Mühsam, aber entschlossen geht er zu einem der Sessel und läßt sich darauf nieder.

Er wartet auf den Tod. Ich warte darauf, daß mein Hotelzimmer fertig wird.

Immerhin, indem sie die Szene in ihrem Notizheft beschrieb, hätte D. ihrer Amerikafeindschaft nachgeben und darüber räsonieren können, wie der Kapitalismus die Menschen vereinzelt. Statt heiterer Geselligkeit unter ihresgleichen nachzugehen oder gemütlich im Sessel ein gutes Buch zu lesen … Aber wir sollten die gute D. unsrerseits nicht für Genreszenen mit DDR-Gedankengut mißbrauchen.

Sie entdeckt in San Francisco eine ganz andere amerikanische Geschichte. Sie wird in diese Geschichte eintreten und bis ans Ende ihr Leben davon bestimmen lassen, die rastlose spirituelle Selbstverwandlung, der alle religiösen, therapeutischen und medikamentösen Verfahren zuarbeiten dürfen. Ich könnte noch einmal den amerikanischen Philosophen namens James zitieren (der 1905 sogar den Alkoholrausch als mystische Erfahrung auslegte). Er sah genauso die Religion der Zukunft: Sie zielt auf mental health. Kalifornien erwies sich als ihr Quellort.

Dies könnte William Benton Jr. sein, Politiker. Aber auch seinen Generationsgenossen fällt dazu nur William Benton ein, der sich Sr. zu nennen ersparen konnte, weil er restlos William Benton war, ehemals Senator von Connecticut, dann stellvertretender Außenminister, dann Vizepräsident der University of Chicago und Verleger der Encyclopedia Britannica. Die Legende weiß, daß er sich als Jüngling vorsetzte, mit 35 Jahren Millionär zu sein, um sich aus dem Geschäftsleben zurückzuziehen. Er schaffte es mit 36 und konnte sich von da an der Politik sowie der Wohltätigkeit widmen.
Versteht sich, daß der Junior schon als Jüngling diesen Roman verwarf.
Als Hippie in Kalifornien, sexuelle und Rauschgiftexperimente. Angeblich Guerillero in Bolivien (ungeklärt). Friedensarbeit in Bangladesh. Aber als er zurückkam, um doch noch das Jurastudium abzuschließen, zeigte sich, daß eine solche unordentliche Vorgeschichte unterdessen längst den Roman einleitet, den der Politiker für seine Erhöhung und Verklärung braucht. Mit 35 Millionär zu sein dagegen: eine abgewirtschaftete Idee.
Wiederum zeigt das Foto natürlich jemand anderen.

Alles lief so, als wolle Michael Murphy uns zum Essen einladen in diesem Restaurant. Er bewirtete uns an dem einen Tisch mit Kaffee und erkundigte sich, ob zwölf Uhr recht sei für die Mahlzeit, er geleitete uns um zwölf an einen anderen Tisch, der inzwischen eingedeckt war. Wir gingen hin.

Die Vervielfältigung der Psychotherapien. Der neue Körper des Menschen, wie er sich ankündigt. Im Marathonlauf beispielsweise, der eben in Mode kommt und der den Körper lehrt, andauernd über sich selbst hinauszugehen, zu Ekstasen vorzustoßen, die er, Michael Murphy, früher für vollkommen unerreichbar hielt, er spreche aus eigener Erfahrung ... Sein Lächeln kommt gut bei uns an, ein richtiges Glänzen, good vibrations. Nach den Exzessen mit Freud und Sex und Urschrei und Meditation jetzt also Sport: Mal sehen, auf welche Stufe uns die Evolution als nächste trägt.

Als es ans Bezahlen geht, greift D. sich die Rechnung und gibt sie nicht wieder her. Nein, wir laden ihn ein zum Lunch, statt er uns, das Bezahlen ist unsere Sache. Leichte Verwirrung entsteht, weil weder Dr. Siebert noch ich die Lage so sehen; Michael Murphy verweist auf das Spesenkonto seines Forschungsinstituts, das ein solches Mittagbrot ... Wenn hingegen wir bezahlen, gehe das doch von unserem Reisegeld ab?

Aber D. bleibt fest, wir sind es, die bezahlen. Sie macht es mit Reiseschecks. »Hast du dir wenigstens eine Quittung geben lassen?« fragt Dr. Siebert irritiert. Er möge sich keine Gedanken machen, so D. mit steifer Oberlippe, das gehe alles allein auf ihre Rechnung.

So verwandelte ein Erweckungserlebnis D. aus einer DDR-Bürgerin – die das, wie wir sahen, immer bleiben wird – in eine imaginäre Bewohnerin Kaliforniens, des Kaliforniens des New Age, des Wassermanns, all jener esoterischen Kulte und ekstatischen Therapien, die sich von dort über den Planeten verbreiten.

D. fand, nach Westberlin zurückgekehrt, leicht Zugang zu dieser Szene. Buchhandlungen und Bibliotheken versorgten sie mit der einschlägigen Literatur, die sie so gewissenhaft und fromm studierte wie einst die Theatertheorien von Stanislawski oder Brecht. Ein gerader Weg führte sie vom Sozialismus, der mißlang, in dies esoterisch-therapeutische Kalifornien respektive die Kolonie, die es längst in Westberlin angelegt hatte. Hier findet sich die Letztbegründung, weshalb Dr. Siebert die Liebesgeschichte abbrach: Bei jedem Treffen sprudelte das neue Wissen.

Wie die biotische Evolution selbst den neuen Geist erzeugt. Wie Meditation die Blutzirkulation im Gehirn anregt und im EEG Theta-Wellen sichtbar werden. Wie der Paradigmenwechsel in der Physik neue Energiequellen der menschlichen Seele aufschließt, wie sich hier überraschend ostasiatische Philosophie mit westlicher Naturwissenschaft verbindet. Wie die uralte Naturweisheit der Indianer aus der industriellen Zerstörung des Bios hinausführt.

Rasch arbeitete sich D. in die entsprechenden Kleinanzeigen der Stadtillustrierten ein; ein richtiger Blumengarten erschloß sich ihrer Neugier. Tian-shi – der Himmelslöwe bringt auch Ihnen Gesundheit und Wohlbefinden.

Reiki – Einzeleinweihungen, Einzelbehandlungen und Gruppenabend. Meditieren lernen – Vinhangam Yoga, die wiederentdeckte Methode aus Indien. Sich von Kopf bis Fuß spüren – Atemräume entdecken und dabei ins Lot kommen. Bioenergetik-Gruppen, Einzeltherapie – von der Krise zur Ressource. NLP – die Kunst der Kommunikation. So erweist sich Westberlin als ein Stadtteil von San Francisco.

Daraus hättet ihr eure Zukunft machen sollen, ihr Achtundsechziger, schwärmte D., dann wären euch die Verdammten dieser Erde gefolgt, und Dr. Siebert kam nicht durch mit seinen Erzählungen, wie kommunistisch enttäuschte Künstler und Intellektuelle schon in den Dreißigern den Weg zu ihren kalifornischen Gurus fanden.

Gewiß, man kann in alldem den Grundgedanken erkennen, der unserer amerikanischen Geschichte solche Attraktivität verleiht: Du kannst ein anderer werden. Jederzeit kannst du die Grenzen deiner Welt überschreiten und unter unserer Anleitung, wenn du die notwendigen Übungen absolvierst, den Körper eines Inders (Indianers, Chinesen, Beduinen – you name it) ausbilden. Als D., um den Geschlechtsverkehr angemessen einzuleiten, Metallschüsseln auf Dr. Sieberts nackte Brust plazierte und sie mit einem Holzlöffel zum Schwingen brachte, suchte er hinterher endgültig das Weite.

Am anderen Ende

Montréal. Es müsse eine Verwandlung stattfinden, sagte ich am Morgen in Berlin zu K. Es sei doch undenkbar, daß ich am Abend in Kanada mich als derselbe wiederfände; als wäre nichts geschehen. Das macht die weite Reise zu einer schweren Enttäuschung – doch worin könnte die Verwandlung bestehen? Immer noch derselbe sein und doch ein klein wenig anders. Woraus besteht das kleine Wenig?

Warte nur, antwortete K., wenn du dann über dem Atlantik bist und nach dem Essen der Film beginnt, dann kommt es bestimmt zu so etwas wie einer Verwandlung, unmerklich.

Es war aber über England, in der Nähe von Newcastle (das der Pilot ansagte). Ich schaute durch die größer werdenden Löcher in der Wolkendecke hinunter und sah die Nordsee, wie sie gegen die englische Küste brandet, und plötzlich gewann ich die Überzeugung, dort unten, in Newbiggin-by-the-sea oder in Morpeth oder in Bedlington lebe ich die ganze Zeit als ein anderer, der sich damals, 1960, von mir abspaltete und nicht nach Hause zurückkehrte. Mit der Abreise beging ich eine Art Verrat, weshalb der andere dort unten, wenn er an mich dachte, stets Verachtung empfand – jetzt erst recht empfände, wenn er wüßte, daß ich gerade in diesem dicken Großflugzeug

Northumberland überquere auf dem Weg in die Neue Welt …

Später erreichen wir den Rand der Wolkendecke, der im strahlenden Sonnenschein seinen Schatten auf das Wasser des Atlantik wirft. Dann bewundere ich eine Stelle, die nur matt und stumpf glänzt – Abdruck einer kräftigen Brise im Wasser? –, während der Sonnenschein sie rosa färbt. Dann stelle ich mir die Europäer vor, die sich als erste in ihren Schiffchen hierhertrauten und denen das dicke Großflugzeug jetzt folgt.

In der vollkommen durchsichtigen Luft schütteln es Stürme.

Ja, jetzt kommen wir zur allerersten Reise nach Amerika und entdecken, daß ein Zentralgedanke unserer Geschichte, du kannst ein anderer werden, sich auch anderswo ansiedelt: in Northumberland, in der Nähe von Newcastle, in kleinen Städten namens Morpeth oder Bedlington oder Newbiggin-by-the-sea.

Ashington hieß das Städtchen, und es lag mitten in dem Kohlenrevier, das Northumberland damals war. Eine Familie Purdy beherbergte den siebzehnjährigen Gymnasiasten. Vater arbeitete einst unter Tage, aber das ruinierte seine Lunge, und jetzt war er mit der Wartung der Grubenlampen betraut. Mutter kochte für den ersten Abend ein gediegenes Essen, zu dem auch Yorkshire Pudding gehörte, und der trieb dich nachts dringend aufs Klo, das sich außerhalb des einstöckigen Reihenhäuschens, auf der anderen Seite der Chestnut Street in einer eigenen Reihe von Klohäuschen befand. Es war Vorfrühling und kalt, du mußtest deinen Mantel über den Schlafanzug streifen und Strümpfe und Schuhe anziehen.

Alles überglänzte eine unglaubliche Schönheit.

Der Augenblick der Verwandlung läßt sich genau angeben. Bei der Anreise – über Köln und Dover und London – umhüllten dich noch deine Mitschüler mit dem vertrauten Milieu. Zwar durfte man hier und da schon mal ein »I'm sorry« oder »excuse me, please« plazieren, aber das waren nur Stippvisiten. Erst als die ganze Gymnasiastenschar auf die Gastfamilien verteilt war, trat der Ernstfall ein.

Du saßst am Abendbrottisch der Familie Purdy und mußtest Englisch sprechen.

Und du sprachst Englisch! Dir ging nicht nach den ersten, einen Satz eröffnenden Worten die Puste aus, nein, die nächsten Worte stellten sich gleichfalls ein, und du konntest ganze Sätze bilden, die von der Familie Purdy verstanden wurden. Na ja. Jedenfalls reagierten sie so darauf und richteten ihre Sätze antwortend an dich, und es entstand eine Unterhaltung beim Abendessen.

Unzweifelhaft warst du ein anderer geworden.

Du sprachst Englisch.

Die Verwandlung war so dramatisch, wie Sechzehnjährige sie sich damals vom ersten Geschlechtsverkehr erwarteten (der in der Regel enttäuscht – und der in deinem Fall nicht bei dieser Reise stattfand, in den Dünen von Newbiggin-by-the-sea, trotz Strandhafer und Kälte, mit einem dieser frechen und zugänglichen Mädchen, die in England, wie man behauptete, so leicht zu finden waren, nein, so war es nicht).

Die Verwandlung ging so tief, daß sie dich zum Bleiben verpflichtete, wie wir sahen. Aber du machtest dich los, was dir Jahrzehnte später immer noch anhängt. Du hättest wirklich Engländer werden sollen.

So etwas zu wünschen, zu imaginieren, gewiß bezweckte das die Veranstaltung, an der du 1960 teilnahmst, Schüleraustausch. Wohlwollende Politiker und Pädagogen versprachen sich davon, daß es dann dem Nationalismus mißlinge, in der Seele des jungen Menschen aufzublühen. Wer an Schulfesten der Bedlington Grammar School teilnimmt, dem will später der Engländer als Kriegsfeind nicht einleuchten, dachte man. Was die internationale Aristokratie schon so lange trieb, setzte sich jetzt bei den Kleinbürgern durch. Die Bundesrepublik nahm Reisegeschenke nicht nur der Vereinigten Staaten, sie nahm auch solche Großbritanniens an; die Erzfeindschaft mit Frankreich zum Verschwinden zu bringen motivierte die damals regierenden Politiker heftig, und vielleicht wäre dir die Verwandlung in einen Franzosen zuteil geworden, hätte dich der erste Schüleraustausch nach Clermont-Ferrand oder Lille oder Rouen geführt. Jetzt, auf dem Flug über den Atlantik, träumst du vom französischen Amerika, der kanadischen Provinz Québec, in der Montréal liegt.

Dorthin wanderte in den Fünfzigern Roswitha – genannt Rosel – Siebert aus, Mitglied eines weitverzweigten Clans in deiner kleinen Stadt im mitteldeutschen Mittelgebirge. Kanada, hieß es, sei irgendwie leichter zu handhaben als der große Brocken südlich; praktisch, wie du stauntest, ein Teil Großbritanniens, aber, was ein Kind schwer versteht, teilweise französisch, was Rosel Siebert, die eine Hotelfachschule in Genf besuchte, anzog.

Die kleine Stadt mißbilligte Auswandern; auch wenn sie einsah, daß der Grüne Baum, das Hotel Stadt Frankfurt oder der Goldene Löwe schlecht Rosel Siebert mit ihrer feinen Ausbildung einstellen konnte. Wirtshäuser, in denen die Männer der kleinen Stadt abends ihr Bier tranken, mit ein paar Fremdenzimmern für Handlungsreisende, denen auch eine kleine Auswahl Speisen aufgetischt werden konnte. Aber mußte Rosel Siebert gleich über das große Wasser nach Monn-Triol, wie die kleine Stadt sagte, hätte Frankfurt oder Köln oder München keine Chancen geboten? Im Grunde sah die kleine Stadt Auswandern als Landesverrat.

Das galt auch für Marianne Enzeroth, Mitglied eines anderen weitverzweigten Clans, Krankenschwester, die es nach London zog. Vor allem wollte sie der Heiratspolitik entkommen, die der Clan betrieb und in der sie schon einen fixen Posten bildete – während man Rosel Siebert für unverheiratbar hielt, wegen der Haare auf ihren Zähnen und der großstädtischen Selbstgewißheit, zu der das feine Genf sie erzogen hatte. All die Unterwerfungsrituale, die in einer weitverzweigten Familie zwischen den Altersstufen und zwischen den Geschlechtern täglich zu absolvieren sind, verweigerte Rosel Siebert, und so war man sicher, daß ihr die Unterwerfung, mittels deren eine Ehefrau ihre Macht gewinnt, ebenfalls mißlingen würde.

Damals war mit unserer kleinen Stadt ein Stück Altdeutschland stehengeblieben. Daß so viele Flüchtlinge aus Ostpreußen und Hinterpommern und Schlesien und

Böhmen sich ansiedelten, ließ die familialen Tiefenstrukturen erst einmal unberührt (hier änderten sich die Dinge, als die Flüchtlingskinder ins heiratsfähige Alter kamen und die einheimischen Tiefenstrukturen libidinös überschwemmten). Daß die Jungs in wenigen Jahren Blue Jeans tragen und zu der Musik von Elvis Presley (Sprößling einer anderen kleinen Stadt) »Niggertänze« aufführen würden, das stand der kleinen Stadt nicht als ihre Zukunft vor Augen. Geschweige die Frau aus Thailand, die Holger (»Vitaminkrüppel«) Siebert heiratete (»sonst kriechte er keine«) und die sich, als er an Magenkrebs starb, so mühelos in das soziale System unserer kleinen Stadt einpaßte.

Das Kind, das du in den frühen Fünfzigern warst, beneidete Rosel Siebert und Marianne Enzeroth (wie eng und arm die frühe Bundesrepublik war, man muß sich richtig anstrengen, das zu erinnern – eine Enge und Armut, die auf dem Lande das Leben seit je bestimmte). Auch von anderen Auswanderern wurde erzählt, Freunde der Eltern, die nach Omaha, Nebraska, gingen, obwohl die Gesetze der USA es dem Ehemann untersagten, als Arzt zu arbeiten, der deutsche Dr. med. war mit dem M. D. inkompatibel (was einem Kind unverständlich bleibt, Doktor ist doch Doktor?). Viele wanderten aus »nach dem Zusammenbruch«, wie man sagte, »in der schlechten Zeit«. Keine Aussichten, daß Deutschland je wieder ein angenehmes Leben ermöglicht – und das heroische Leben in der NS-Volksgemeinschaft hatte sich ja selbst zerstört. Simpel die Lebenserfahrung, könnte man sagen, bewog die Westdeutschen dazu, Großdeutschland als Lebensziel durch the pursuit of happiness zu ersetzen.

Das könnte San Francisco, California, sein, wo seit den Sechzigern der Erfinder des *Emile,* einer Romanfigur, der ideale Zögling einer idealen Erziehung, zum directeur de l'âme aufstieg: Jean-Jacques Rousseau.
Zurück zur Natur, von der wir uns mit jeder Generation weiter entfernen, was bei den Hippies diese süße Traurigkeit erzeugte, alles vergebens, und das mit steigender Tendenz. Du kannst ausrechnen, wie es seit den Sechzigern mit dieser Entfremdung weiterging; die Hippies alterten und verschwanden; und der Rauschgiftkonsum, dem sie als Naturtechnik anhingen, diente in den Achtzigern gern alerten jungen Geschäftsleuten zur ekstatischen Steigerung des Profitinteresses. So ist das immer in Amerika, sagt der Amerikafeind, es beginnt mit hohen Idealen, und am Ende dient es nur dem Kommerz.
Den Amerikafreund dagegen erfreut es, daß einer Rousseaus gedachte und den Namen seines Romanzöglings in den Zement des Trottoirs ritzte.
»Europäische Ideen kommen in Amerika immer viel besser heraus.«
Die Hippies von San Francisco verkörperten Rousseaus Ideen gewiß am unschuldigsten.

Viele wanderten also aus. Und Ausgewanderte aus früheren Jahren, schließlich waren die erste Nachkriegszeit und die frühen zwanziger Jahre gleichfalls schlimm, frühere Ausgewanderte meldeten sich wieder, Onkel Herbert Koy, mit einer Halbschwester der Großmutter (o. s. ä.) verheiratet, irgendwo in Kalifornien lebend. Sie schickten Freßpakete. Dagegen mißlangen alle Versuche, mit einem Abzweig von Vaters Familie wieder anzuknüpfen, der schon Mitte des 19. Jahrhunderts ging (und der das Kind durch den biblischen Namen des Paterfamilias beeindruckte, Zacharias). Wenn man ein bißchen gräbt, stößt man vermutlich bei allen Familien auf solche Ausgewanderten, an denen aufregende Geschichten hängen: der Onkel der Großmutter, der bei einer Überschwemmung des Missouri in St. Louis ertrank und immer noch mit einem Glas präsent ist, in das er zärtlich den Namen des kleinen Mädchens (Jahrgang 1874) schleifen ließ, um es ihr zum Geburtstag zu schenken.

Aber wir sind mit Rosel Siebert in Monn-Triol, in Kanada, das, als Teil Großbritanniens, irgendwie leichter zu handhaben sein sollte als die USA. Arbeit zu finden als Empfangsdame in einem Hotel, erzählte man in der kleinen Stadt: kein Problem. (Wenn du dir dies »kanadische Hotel« ausdachtest, kam eine Art Feenpalast ins Bild, der einer Tropfsteinhöhle ähnelte, im Vordergrund die kleinwüchsige Rosel Siebert als dienstbarer Geist.) Was aber unsere kleine Stadt noch tiefer beeindruckte: Rosel Siebert, die hier als unverheiratbar galt, feierte drüben Hochzeit. Auch kein ganz junger Mann mehr, Ende 30, Hotelier, mit dem Namen Laurent (du merkst es dir wie für die

Ewigkeit). Sie verlassen Monn-Triol, um gemeinsam das Hotel in einer anderen kleinen Stadt zu übernehmen, Saint-Joseph-de-Beauce? Drummondville? Grand-Mère? (Unausdenkbar für das Kind, in Städten mit solchen Namen zu leben.)

Die Geschichte ging schlecht aus (was den Erwartungen der kleinen Stadt entsprach). Rosel Siebert ließ sich scheiden, kehrte nach Europa zurück und fand eine Stelle in Garmisch-Partenkirchen. Laurent, erzählte man, wurde verrückt; gern griff er sich bei den zahlreichen Krächen eines der großen Fleischmesser, die eine Hotelküche parat hält, und jagte damit Rosel Siebert durchs Haus. Wahnhafte Ängste quälten ihn, wie ihre deutsche Familie ihn bespitzele und kontrolliere (wie man das macht, hatten die Deutschen eben erst gezeigt); im freien Intervall, zwischen den Schüben, nannte er seine Rosel scherzend »ma chère Gestapo«. Besser erging es Marianne Enzeroth in London. Sie gab die Krankenpflege auf und trat in ein Kosmetikstudio ein (worunter die kleine Stadt sich gar nichts – oder nur etwas Anrüchiges – vorstellen konnte). Und auch sie fand einen Mann, Stephen, der eigentlich Istvan hieß und 1956 aus Ungarn geflohen war, nachdem die Sowjetunion den Aufstand niedergeschlagen hatte. Also zwei Einwanderer. Irgendwann heirateten sie. Und irgendwann betrieb Marianne Enzeroth ihr eigenes Kosmetikstudio: Stephen erfand eine besonders praktische und schmerzlose Methode, Körperhaar zu entfernen, und da wußte unsere kleine Stadt längst, was ein Kosmetikstudio so treibt, denn inzwischen beherbergte sie ja selber eines in der Langen Gasse.

Gehört das alles überhaupt hierher, trägt es bei zu unserer Geschichte? Aber gewiß doch. Hätten sich Rosel Siebert oder Marianne Enzeroth 20 Jahre früher ebenfalls aufgemacht, ihr Glück im Ausland zu suchen, weil sie daheim nicht als alte Jungfern überwintern wollten, die am Ende irgendwelche kranken Tanten aus ihrem Clan zu Tode pflegten, wie man sagt?

Unwahrscheinlich. Es brauchte wohl den verlorenen Krieg, wie er die Sozialität auch so einer kleinen Stadt aufmischte, es brauchte die ausländischen Besatzungssoldaten, die Westdeutschland überschwemmten, damit auch Frauen wie Rosel Siebert und Marianne auf den Gedanken kommen konnten, etwas Besseres als den Tod findest du überall. Du kannst fortgehen, du kannst eine andere werden – der amerikanische Gedanke. Daß man ihm auch in Kanada nachgehen kann, braucht nicht erklärt zu werden; daß das London der Fünfziger für Marianne Enzeroth ebenso funktionierte, freut uns – in Morpeth oder Newbiggin-by-the-sea wäre es schwieriger gewesen.

Ich muß noch erzählen, wie die kleine Stadt im mitteldeutschen Mittelgebirge in den Fünfzigern ein amerikanischer Roman besetzte: ein Geburtstagsgeschenk von Vater und Mutter, das dich verwandelte. Eine jener Lektüren, die Vierzehnjährige ins Schwärmen bringen – der Roman spielt in einer kleinen Stadt namens Altamont und erzählt zärtlich die Leiden und Freuden eines Knaben, dann eines Jünglings namens Eugene, und man findet bald heraus, daß das alles autobiographisch ist und die Stadt Asheville heißt und in North Carolina liegt, und wäre es zu deinem Gegenbesuch in Knoxville, Tennessee, gekommen, hättest du einen Sommer in der Familie Bill Fox Sr. verbracht, gewiß wären sie liebend gern mit dir hinüber nach Asheville gefahren, und du hättest ihnen erzählen können, wie du praktisch seit deinem 14. Geburtstag ein anderer, ein Amerikaner namens Eugene Gant seist.

Er kannte den Geruch von Kellern, von Wassermelonen, die in Heu gebettet auf einen Farmwagen verladen werden; den Geruch von Pfirsichen, in Lattenverschläge gepackt; den Geruch von bittersüßen Orangenschalen vor einem Kohlenfeuer. Er kannte den Geruch von seines Vaters Zimmer, gemischt aus Leder, Tabak, Wolle, Schweiß und Männlichkeit ... den beizenden von Holzfeuerrauch und von brennendem Laub an Oktoberabenden ... den trägen der Erde im Spätherbst und den süßen des Jelänger-Jelieber in Sommernächten ... den köstlichen von Speck-und-Eiern in der Pfanne zusammen mit dem von kochendem Kaffee. Er kannte den Geruch von einem Backofen im Wind, von buttergeschmälztem grünen Bohnengemüse aus einer Küche, von blauen Trauben in langen Weidenkiepen, von einer ungelüfteten Bodenkammer aus trockenem Tannenholz, in der eingekampferte Teppiche und stockfleckige Schmöker aufbewahrt werden.

Ja! und er kannte den Geruch von Tünche und Firnis, von neuem Leder im Sattlerladen, von Honig, Kaffeesäcken, Pickels, Käse, Pfeffer und Werweißwasnoch im Krämergeschäft ... den Geruch von Sägemehl, Hobelspänen und aufgeschichteten Bohlen, von alter Eiche und Walnuß und Harz …

Ja! und den Geruch von einer Margeritenwiese am Morgen … von schmelzendem Gußeisen in der Esse … von rauchenden Misthaufen und warmen Pferdeställen … den Geruch der Metzgerei nach starkem Hammel, feister Leber, gewürzter Wurst, rotem Rindfleisch … den Geruch zerriebener Pfefferminzblätter und den von einem nassen Fliederbusch; von Magnolien unterm Vollmond; von Lorbeer und Hundsholz … den Geruch von alten verkrusteten Bruyère-Pfeifen, von Virginiatabak, von Bourbon-Rye-Whisky in einem eichenen Faß … den Geruch von Karbol, den Geruch von einem treuen Haushund, von Schweinebraten, von Vanille in einem Kuchenteig … den Geruch von Farnkraut bei einer Quelle …

Nein, den Geruch von Bourbon-Rye-Whisky in einem eichenen Faß kanntest du mit 14 so wenig wie den von starkem Hammel, denn der wurde im mitteldeutschen Mittelgebirge weder gezüchtet noch geschlachtet. Nein, ich glaube nicht, daß du den Geruch von Hundsholz kanntest, ebenso zweifle ich an Lorbeer. Nein, der Geruch von blauen Trauben in langen Weidenkiepen war dir ebenso unbekannt wie der von Wassermelonen, und dein Vater hatte zu Hause kein eigenes Zimmer, das nach ihm hätte riechen können.

Aber das macht nichts. Das Bekannte infiltrierte das Unbekannte, das Unbekannte überhöhte und verklärte das Bekannte, und so verwandelte sich unsere kleine Stadt in Altamont, Old Catawba – das du, versteht sich, das hatten wir ja schon öfter, nie als Asheville, North Carolina, leibhaftig zu sehen wünschtest. Du warst ja die ganze Zeit da, und ich weiß kein Stück deutsche Literatur, das dich so besetzt hätte wie dieser Roman, der dir im Imaginären eine amerikanische Kleinstadtjugend verschaffte.

Toronto. Wir spazieren durch die Yonge Street und studieren die zahlreichen Läden, in denen es, wir verstehen nicht warum, immer Tuxedos und andere Festkleidung zu kaufen gibt. Es ist halb zwölf Uhr nachts.

Hinter uns kommen zwei junge Schwarze näher, ausgreifende Bewegungen, laut miteinander plaudernd.

Sofort ergreift das Phantasma vom bösen Amerika von mir Besitz: Die beiden suchen nur die beste Gelegenheit, uns zu stellen und zu berauben. Das böse Amerika, das sind natürlich die Vereinigten Staaten; Toronto ist wie eine US-Stadt, sagte man uns in Montréal, Schluß mit der Frankophonie (die von den Deutschen, die in Québec leben, für irgendwie humaner, ziviler gehalten wird).

Dabei war es heute morgen auf der Rue St. Cathérine ein Französisch sprechender Penner, der mich anmachte: Ich fotografierte ein schwarzes Gebäude, auf dessen Fassade weiß ein nacktes Mädchen gemalt war – da kam er über die Straße geeilt, wer mir die Erlaubis erteilt habe, dies Haus aufzunehmen? Er wolle sie mir gern erteilen, die Erlaubnis, gegen Bargeld, und darauf verzichten, mich bei der Polizei anzuzeigen.

Ich tat die ganze Zeit so, als verstehe ich ihn nicht, ich

versicherte immer wieder auf deutsch, ich spreche kein Französisch. Dann ging ich einfach weiter, und hinter meinem Rücken hörte ich ihn rufen: »Heil Hitler!«

Ich drehte mich um: Er hatte den Arm zum Hitlergruß erhoben und lächelte freundlich.

Am anderen Ende, wo Spanisch gesprochen wird, fände man das vermutlich genauso: die schwarze Version der USA, daß sie ein imperialistisches Monstrum seien, im Innern von Inhumanität durchdrungen, während im armen spanischen und im reichen französischen Amerika Menschlichkeit herrscht.

Wer mit der deutschen Amerikafeindschaft vertraut ist und mit den Erzählungen, die sie tragen, vom Krieg gegen Spanien bis zur Zerstörung einheimischer Speisezettel durch McDonald's, kommt da nicht mit. Montréal sieht aus wie eine US-amerikanische Stadt – sagte der junge Baader beim Anflug –, der Siedlungsbrei, aus dem in der Mitte die Hochhäuser emporschießen. Ob sich auch Rosel Siebert in den Fünfzigern den Distinktionsgewinn der Frankophonie gegenüber der Anglophonie verschaffte? Bei ihr war es doch eher so, daß sie sich die Hauptsache, die USA, nicht zutraute; Québec bot die ermäßigte Version. – Manchmal klang es jetzt so, als solle Québec in der Neuen Welt Alteuropa vertreten; deshalb befürwortete dieser und jener die Abspaltung vom englischen Kanada, »die können sich dann gleich mit den USA vereinigen«.

Richtige Ausgewanderte hast du dort nicht angetroffen. Es waren merkwürdige Zwischenwesen, für die es auch gar kein deutsches Wort gibt, um sie zu bezeichnen. Im

Das könnte Dr. Siebert sein, viele Jahre später. Nach Amerika zu reisen ging nicht in seine Routinen ein; keine regelmäßigen Vorträge oder Gastprofessuren: weder lud man ihn ein, noch lehnte er ab.
So blieb jede Reise nach Amerika exorbitant, führte ihn außerhalb seiner gewohnten Welt. Das Versprechen, in den Staaten darf man jederzeit ein anderer werden, erneuerte sich das eine um das andere Mal – als Versprechen. Besondere Verführungskraft ging diesbezüglich vor vielen Jahren von der großen Reise aus, die ihn einerseits ausgiebig mit Amerika, andererseits mit einer Liebschaft beschäftigte, die in der BRD, statt sich fortzusetzen, sofort zerfiel. Oft stand er in den verschiedenen Hotelzimmern so vor dem Spiegel und prüfte sich, während die nackte Frau leuchtend in dem Bett ruhte (Filmszene, eher italienischer Neorealismus denn Hollywood).
Jetzt, bei dieser jüngsten Reise, viele Jahre später, muß er vor dem Spiegel erkennen, wie lange diese Körperfreuden zurückliegen. Keinerlei Versprechen, er könne sich in den von damals zurückverwandeln. Er würde freilich auch bestreiten, daß ihn danach Sehnsucht erfüllt.

Englischen heißen sie expatriates. Sie bevölkern Universitäten und Kulturinstitute, und es ist schwer zu sagen, ob sie Träger unseres Phantasmas sind oder als Zeugen dagegen aufgerufen werden können. »Da träumt man«, so der junge Baader nach einem Abend in Madison, Wisconsin, »von dem Geschäftsmann, der als Jüngling Trotzkist war, dann von Kassel hierherging und jetzt konstant die Republikaner wählt.«

Von jenem Abend brachte er die Geschichte der deutschen Bibliothekarin mit, eine Mittvierzigerin von wolkenhafter Fettleibigkeit, wie er sich ausdrückte, und trotzdem in Jeans, eine Sondergröße, wie er kichernd vermutete (so ist er nun mal, der junge Mensch).

Die Geschichte der fetten Bibliothekarin gehörte in ein Buch über die Liebe. Sie ist es, die Schönheit erzeugt, gegen alle Wahrnehmung. Der junge Baader schwelgte richtig beim Beschreiben der Bibliothekarin, ihres Hängebauchs und Fettsteißes, der Raffzähne und der niedrigen Stirn – sie belegt, so der junge Baader triumphierend (er schaute ja hübsch genug aus, während wir in dieser Bar unser abschließendes Heineken tranken), sie belegt seine Lieblingsthese, daß manche Menschen, statt vom Affen, vom Schwein abstammen (daß er so hübsch ausschaut, kann den jungen Menschen zu schneidenden Gemeinheiten verführen).

Letzten Frühling kam aber der Kulturchef eines westdeutschen Intelligenzblattes herüber, irgendein grandioses Event in Madison, Wisconsin, durch seinen Vortrag zu eröffnen; oder es nachher in seinem Intelligenzblatt abzuschildern, er wisse auch nicht (denn der junge Baader war noch zu jung, um solchen Ritualen statt Verachtung Interesse entgegenzubringen).

Man sollte es nicht glauben: Was sich zwischen der fetten Bibliothekarin und dem Kulturchef des westdeutschen Intelligenzblattes letzten Frühling in Madison, Wisconsin, ereignete, das nennt man coup de foudre. Der Kulturchef, ein exemplarisch dünnes Männchen mit Haarausfall und randloser Brille, vermochte in den Armen der voluminösen Frau derart erhaben zu schweinigeln, daß es einer Bekehrung gleichkam, einem Erweckungserlebnis: Dies alles gibt es also als Geschlechtsfreude – wobei er sich gar nicht ausmalen wolle, so frech der junge Baader, wie das Hängebauchschwein das dünne Herrchen in seinen Fettfalten zum Verschwinden brachte (gerade malte er sich's aus).

Du kannst ein anderer werden, der Kulturchef verleiht diesem Gedanken mit seinem Erweckungserlebnis eine sexuelle Bedeutung. Daheim fehlte ihm die ganze Zeit was, ohne daß er es richtig merkte. Und der Bibliothekarin mag ihr eigentümliches Zwischendasein als expatriate – keine Ausgewanderte, aber auch keine Touristin – sexuelle Möglichkeiten erschlossen haben, vornehm ausgedrückt, in deren Genuß nur dieser Gast aus der Bundesrepublik in diesem Frühling kommen konnte. Alle Liebschaften mit anderen expatriates oder mit Einheimischen mißlangen.

Der Kulturchef wollte sein Leben ändern. Er versprach, nach Deutschland zurückzukehren, bloß um die Trennung und Scheidung von seiner Frau einzuleiten und mit seinem Intelligenzblatt eine neue Form der Zusammenarbeit zu vereinbaren (Kulturkorrespondent in den USA).

Er wollte, so der junge Baader, im Schweinehimmel von Madison, Wisconsin, ein neues Geschlechtsleben beginnen. Die fette Bibliothekarin richtete den Schweinehimmel schon mal gemütlich ein, in froher Erwartung. (Langsam wird man mißtrauisch: Ist er etwa neidisch, der bretterdünne junge Baader?)

Dann aber Funkstille. Ihre Briefe, die anfangs noch von dem genossenen Glück leuchteten, blieben unbeantwortet, und je dringlicher sie nach Antwort verlangte (worüber die Briefe ganz grau wurden), um so tiefer verdichtete sich sein Schweigen. Wenn sie anrief, war er eben aus dem Haus oder unabkömmlich in einer Besprechung (und bald verließ sie jeder Mut zum Telefonieren).

Die Bibliothekarin riskierte es. Dem Gedanken, daß sie in Amerika eine andere werden könnte, gerade als Geschlechtswesen von abstoßender Häßlichkeit, nie war sie diesem Gedanken so nahegekommen wie mit jenem Kulturchef. Die Bibliothekarin riskierte die Reise nach Deutschland, um den Lover zu stellen und ihn dank ihrer Realpräsenz die Freuden vor Augen zu führen, die sie genossen.

Vermutlich wäre das ohnehin mißlungen. Fassungslos hätte er sie angestarrt, wie sie vor ihm stand auf dem Parkplatz seines Redaktionsgebäudes, die Raffzähne, der Hängebauch, die ausladenden Hinterbacken, gerade wollte er ins Auto steigen und nach Hause fahren zu seiner Familie, als sie ihm gegenübertrat. Aber zu dieser Desillusionierung kam es gar nicht. Als sie in München (oder war es Köln?) eintraf, das Redaktionsgebäude aufsuchte, dann seine Wohnung, da war er verschwunden, inkommunikado. Gen Italien, wie sie erfuhr, zusammen mit seiner Frau – und diesen Sommer kam die Mitteilung nach Madison, Wisconsin, ausgesandt von einer Kollegin, der Bibliothekarin aus der Münchner Zentrale, und von Schadenfreude leuchtend: daß die Ehefrau dem Kulturchef noch ein Töchterchen geschenkt habe; er habe Stuttgart (oder Köln) verlassen, um das Feuilleton eines Intelligenzblattes im Norden zu leiten. (Ja, ein wenig schaut es so aus, als billige der junge Baader älteren, gar häßlichen Leuten gar keine Geschlechtsfreuden zu.)

Unter den expatriates, die wir auf dieser Reise im Umkreis von Universitäten und Kulturinstituten trafen, fand eben ein kanadischer Film viel Beifall, *Der Untergang des amerikanischen Imperiums*, dem auch das Festival in Cannes einen seiner Preise verliehen hatte. Ausgiebig handelt der Film von den Geschlechtsfreuden, die sich eine Freundesgruppe von Geschichtsdozenten in Montréal gönnen, insgeheim oder offen, untereinander oder exogam – einer der Dozenten lernte seine junge Frau in einem Massagesalon kennen, wo sie ihm einen runterholte, während sie, eine Studentin der Geschichte, einen Vortrag über die Barbarei vergangener Jahrhunderte hält, mit der verglichen das zwanzigste friedlich und zivilisiert war, worüber er sich in sie verliebte.

Der junge Baader sah den Film schon in Berlin. Ihm mißfiel in der Tat, daß die sich ununterbrochen sexuell erregenden und diese Erregung so erregt beredenden Akademiker so ältlich und so häßlich ausschauten. Zur filmischen Darstellung von Sex sollte man nur junge Leute verwenden – wobei ich hinzufügen muß, daß man die

Geschlechtsfreuden der Historiker nur sehr selten in vivo zu sehen bekommt in dem Film. Meist reden sie darüber, Maulhurerei, während der Vorbereitung eines Festessens auf dem Lande oder im Sportstudio. Aber während man ihnen zuhört, erzeugt das Kopfkino Fickbilder von ihnen, und die verstimmten auch mich.

Das wußte der Film zu nutzen. Das ausschweifende Leben der frankokanadischen Geschichtslehrer sollte eine These illustrieren, die der Filmtitel ausspricht: Das amerikanische Imperium, an dessen Rand man in Québec so angenehm lebt, befindet sich in einem Zustand des Verfalls. Ein weibliches Mitglied der Corona darf es anfangs im Radio erklären, im Interview mit einer Reporterin: Das Imperium setzt seinen Bewohnern keine hohen Ziele mehr, es überläßt sie ihren persönlichen Wünschen, und diese Wünsche laufen auf Wohlleben, vor allem auf Sex hinaus.

Trickreich gedacht, setzte der junge Baader die Unterhaltung fort. Wir befanden uns unterdessen in Minneapolis, Minnesota; der Delegation, der wir angehörten, wurde ein prächtiger Empfang zuteil, in dem prächtig restaurierten Postgebäude von Saint Paul, der Zwillingsstadt von Minneapolis, Galerien in mehreren Etagen um einen Innenhof, genannt Landmark Center. Prächtig ließe sich der Bau als Drehort für Filmszenen verwenden. Trickreich gedacht. Auch die Westdeutschen, schon gar die Westberliner leben am Rand des amerikanischen Imperiums, sogar am äußersten Rand; an sie grenzt direkt das andere, das feindliche, das Sowjetimperium. Trotzdem widmen sie sich, so gut es geht, dem Wohlleben, the pursuit of happiness, ganz wie es das Grundgesetz des amerikanischen Imperiums vorsieht.

Sollte es anders sein? Machen wir was falsch? fragte der junge Baader ironisch, während er in ein kleines, feines cremebeschichtetes Sandwich biß. Und ein Schlückchen Weißwein trank. Sollte uns das Imperium aus dem Individualismus, der sein Grundgesetz bestimmt, wieder hinausführen zu heroischen Zielen? Zum Kampf gegen den Kommunismus verpflichten, beispielsweise; bis zum Endsieg verzichten wir freiwillig auf alle stärkeren Genüsse, die uns in unserem Kriegswillen nur schwächen würden. Man vögelt ausschließlich zwecks Prokreation. Das, so der junge Baader ironisch, hatten wir doch schon mal? Damals ging's um das germanische Imperium – nach dessen Untergang die Westdeutschen sich so heroisch ihrem Wohlleben widmeten …

Kein Gedanke an den Untergang des sowjetischen Imperiums, des Sozialismus, dessen Endsieg, wegen der miesen Zwischenergebnisse, nur als permanente Heroenanstrengung propagiert werden konnte (ein Untergang, den, wie der immer noch junge Baader dann spotten wird, Bananen besiegelten, die der Ostberliner in Westberlin im Überfluß erblickt, wie sie vor den türkischen Obst- und Gemüseläden ausliegen, neben Orangen und Kiwi und Zucchini und Avocados).

Ich höre den Präsidenten Kennedy heraus, sage ich begütigend. Frage dich nicht, was dein Land für dich tun kann; frage dich, was du für dein Land tun kannst. Das war kein Aufruf zum Individualismus, the pursuit of happiness. Sondern, tatsächlich, zu einer kollektiven Anstrengung. Der Westen, die freie Welt, das amerikanische Imperium fühlte sich in den Fünfzigern der Sowjetunion unterlegen, man sollte es nicht glauben (erzähle ich dem jungen Baader beim Heineken in Minneapolis, Minnesota). So habe ich es in der Schule gelernt: Demokratie und Kapitalismus ermöglichen zwar dem Bürger ein angenehmes Leben; wenn es aber um Effizienz geht und Härte – und darum geht es in der Weltgeschichte –, dann sind Diktaturen weit erfolgreicher. Kaum führt der Bürger ein angenehmes Leben, erklärte ich dem jungen Baader, schon plagen ihn trübe Ahnungen; schuldbewußt denkt er an das späte Rom, dessen Bürger gleichfalls ein so angenehmes Leben führen konnten, weshalb das Imperium unterging, weil sie nämlich keinen Kollektivwillen zu seiner Verteidigung mehr bilden konnten (so lernte der Bürger seit langem diese Geschichte erzählen).

Wir sahen wenig von Minneapolis, Minnesota. Die Konferenz hielt uns auf dem Campus fest, den ich als römische Kolossalkulisse in Erinnerung habe. Keine Zeit für diese kleine Recherche: Prince Rogers Nelson, den der junge Baader eben besonders verehrte, ist in Minneapolis beheimatet, und wir hätten auf seinen Spuren wandeln können. Der Vortrag des jungen Baader erregte besonderes Aufsehen. Er kostümierte sich als Punk, mit strahlend weißem, aber zerrissenem T-Shirt (man konnte durch den Riß eine Brustwarze auf seinem dürren Oberkörper erkennen), mit zerschnetzeltem Haar, die Strähnen weißblond gefärbt und teilweise zu dünnen Zöpfchen geflochten, in den Ohrläppchen mehrere Sicherheitsnadeln. Sein Vortrag aber bediente sich der allerneuesten Erfindungen,

Dies könnten die Ruinen des großen Naturtheaters von Oklahoma sein, wo der arme Karl Roßmann bei seiner Amerikafahrt endlich landete. Das ist lang her. Auch ein solcher Apparat wie das Naturtheater von Oklahoma, diese »Bürokratie der reinen Wohltat«, die den armen Roßmann sogar mit seinen Eltern aus Europa wiedervereinigen sollte, auch eine solche Vollkommenheit has a time to live and a time to die. Sinkende Nachfrage; eine politisch-religiöse Intrige in der kleinen Stadt, der das »ästhetische Sanatorium« angehängt war.

Franz Kafka erfand das große Naturtheater von Oklahoma für einen Roman, der Amerika erfindet (wo Kafka nie war). Es bleibt unvollständig erfunden, niemand weiß, was man sich darunter genau vorstellen soll, nur daß die amerikanische Maschinerie ganz unerwartet – für Kafkaleser – Wohltaten erzeugt, das steht fest. So darf man sich unter dem NTO nach Belieben eine Gesellungsform oder eine Produktionsstätte vorstellen; ein universaler Wunsch- und Beeinflussungsapparat, der freilich in Amerika untergebracht ist, wo also auch Kafka unbegrenzte Möglichkeiten erhoffte.

Bilder aus dem Computer, auch Musik und Geräusche, die er ad hoc mischte, so daß eine Performance entstand, die gleichzeitig als Kunst und als Beitrag zur Texttheorie, wie sie damals in Mode war, gelten konnte. Rauschender Beifall, insbesondere der jungen Studenten.

Wiewohl die Genealogie seines Outfits nach Großbritannien führt, darf man vom jungen Baader sagen, daß er es in der Existenzform des imaginären Amerikaners damals am weitesten gebracht hatte. Während mir selbst, nach den Vorgaben des kanadischen Films, der gewisse Gedankenreste aus den rebellischen Sechzigern kultivierte, der Untergang des Imperiums keineswegs unvorstellbar war (und auch nicht gänzlich unwünschbar, wenn ich ehrlich bin) – im Gegensatz dazu führte der junge Baader sein Leben ganz selbstverständlich als Bürger des amerikanischen Imperiums, civis Americanus sum, von der Musik bis zu den Technologien und den Hamburgern, die er sich als Student zum Lunch verordnete. Zugegeben: um die bildungsbürgerlichen Eltern zu ärgern, die derselben diskreten Amerikafeindschaft anhingen wie die Geschichtslehrer in dem kanadischen Film, einer Feindschaft, die, wie überall auf der Welt, an den Burger-Läden sich entzündete, als wären sie die weithin dominierenden Stützpunkte der Besatzungsmacht.

Auf den Präsidenten Kennedy kommen wir erst auf dem Flug nach New York wieder zu sprechen, wo der bretterdünne junge Baader ein hochdotiertes Stipendium verzehren sollte, ein ganzes Jahr lang sorgenfrei Texttheorie. Abwesend betrachteten wir – durchsichtige Plastikbecher mit dem roten Zeug in der Hand – die Blechdosen für

Campbell-Tomatensaft, die auf den Klapptischchen vor unseren Sitzen standen (»heutzutage ist jeder für eine Viertelstunde Andy Warhol«), während leichte Turbulenzen das Flugzeug erschütterten.

Wo waren Sie, sage ich, als Kennedy erschossen wurde? Das ist ja eine berühmte Frage, die angeblich jeder beantworten kann, der seinerzeit am Leben und zurechnungsfähig war. Ich saß in meiner Studentenbude und las, als mein bester Freund Hebby, den ich gar nicht erwartete, anklopfte und außer sich war: Ob ich kein Radio höre? Eben sei der Präsident Kennedy erschossen worden. Aber Sie müssen, sage ich zu dem jungen Baader, der mir aufmerksam zuschaut, davon doch auch schon was mitbekommen haben? Saßen Sie über den Schularbeiten? Gab es gerade Abendbrot? Übten Sie Cello, als Mutter Sie rief und tränenüberströmt erzählte, was passiert war?

Daß Hebby und ich weinten, halte ich für unwahrscheinlich. Wir waren 20 Jahre alt und frischgebackene Mitglieder des linksradikalen Lagers, das vom amerikanischen Präsidialsystem wenig hielt (um das mindeste zu sagen). Alles müßte anders werden, alle Macht den Räten – mein Notizkalender läßt am 22. November 1963 den Tod Kennedys unerwähnt. Dafür verzeichnet er, daß ich um 13 Uhr (da lebte er noch) mit einer gewissen Brigitte in der Mensa verabredet war und daß sie danach in meine Bude mitkam. Für den 23. November ist wiederum ein Treffen mit dieser Brigitte vermerkt, außerdem eines mit Ulla am Hauptbahnhof; mit der bei dieser Gelegenheit Schluß gemacht wurde – so etwas hält der Zwanzigjährige für überlieferungswürdig.

Gleichzeitig sammelte er aber jede Menge Zeitungs- und anderes Material, als wollte er es irgendwann einmal verwenden. Die Titelseite der *Frankfurter Rundschau* (»Schütze ein Rassenfanatiker?«) und der *Zeit* (»Was wird bleiben?« von Marion Gräfin Dönhoff); die Titelgeschichte des *Spiegel*, der draußen ein schwarz umrandetes, schmerzlich-ernstes Porträt des Präsidenten zeigt, ohne jeden Text, als wären ihm angesichts des Attentats die Worte ausgegangen (im Innern gleich Rudolf Augstein, »Der Präsident der Stärke und des Friedens«); die Titelgeschichte des *Stern*, der vergrößerte Stills aus dem berühmten Amateurfilm zeigte, wie sich der Präsident an den Hals greift, wie ihm der halbe Kopf wegfliegt, wie die First Lady rückwärts aus dem Auto klettert und zu fliehen versucht.

Stets war ich auf dem neuesten Stand, was die neuesten Verschwörungstheorien anlangt, die bewiesen, daß nie im Leben der erbärmliche Lee Harvey Oswald allein den Präsidenten erschossen habe. Und die avanciertesten Kader wußten ohnedies einen ganz anderen Täter zu nennen, dessen Name zur selben Zeit in höchst unterschiedlichen Problemzonen aufzutauchen begann: die Gesellschaft. Das war, sagte ich zu dem jungen Baader, der mich aus seinem Flugzeugsitz anstrahlte, damals so angesagt wie heute Ihre performative Texttheorie.

> Die unermeßliche Trauer über den Tod Kennedys beweist, daß die Gesellschaft diesen Tod ersehnt hat: Zur Schau gestelltes Glück produziert Neid, und die Trauer aller sollte den Todeswunsch aller kompensieren.

Das Erschrecken darüber, daß die Kugel von uns allen kam, wird gemildert durch die Mystifizierung des Verstorbenen, und die Schuld, entstanden durch die erfüllte Todessehnsucht, wird abgetragen durch eine noch totalere Identifikation mit dem Apparat: Ich werde noch mehr arbeiten und noch fleißiger konsumieren.

Der Schock, daß Halbgötter durch eine Kugel sterben können, findet seinen Ausdruck im Erstaunen, daß der Tote wirklich tot ist. In Wahrheit wird durch den Rummel nach dem Mord vorgetäuscht, in einer Welt austauschbarer Marionetten sei ein Kennedy nicht austauschbar, und ein einzelner könne noch Geschichte machen, wo doch die autonomen Mechanismen der repressiven Gesellschaft in jedem einzelnen zwangsläufig sich reproduzieren. – Der Pseudokrise folgt der vorgetäuschte Notstand, und dieser wiederum legitimiert den Zwang zu totaler Anpassung.

Die manipulierte Hysterie und die kostenlos konsumierte Tragik erzeugen Zusammenhalt. Der Genuß des Schmerzes ist das Abzeichen der kollektiven Idiotie, und das schwülstige Gefühl von Gemeinschaft kann in einer Gesellschaft, wo jeder von jedem perfekt abgekapselt in der Isolation verharrt, nur noch durch gesteuerte Massenpsychosen suggeriert werden.

In der Urhorde erschlugen die Söhne den Vater, um die Mutter zu besitzen, und die Welt erschoß den Großen Bruder John, um sich an Jacqueline zu vergreifen. Die Unmöglichkeit der Erfüllung dieses Wunsches wird sublimiert durch die Annäherung Jacquelines an das Bild einer Maria Immaculata. Der erschlagene John F. Kennedy feiert seine Auferstehung und Himmelfahrt in Cap Kennedy, und um seine Reinkarnation (Bobby, Edward, John) werden wir wohl nicht vergeblich in den Messen der Massenmedien beten.

Die westliche Wohlstandsgesellschaft braucht solche Pannen wie Lengede und Kennedy, um anhand der Reaktion zu testen, ob noch alle gleichgeschaltet sind: Durch dieses Manifest geben wir kund, daß der gegängelte Zauber nicht mehr überall ankommt.

Wer all dies nicht versteht, will es nicht verstehen und untermauert nur die Wahrheit dieser Sätze; gleichzeitig entpuppt er sich als devoter Befehlsempfänger gesamtgesellschaftlicher Dogmen.

Die Dinge liegen ganz anders, meinten die linksradikalen Kader zu wissen, als man sie uns zeigt – wobei wir es uns ersparen konnten, in die Spezialgeschichten einzusteigen, die über Leute namens Jack Ruby oder Clay Shaw oder Jim Garrison (und wie sie alle heißen) erzählt wurden. Die Gesellschaft ist ein anonymer Täter; Personennamen steigern die Verwirrung bloß.

Gleichzeitig bezeugt dies Flugblatt einer linksradikalen Gruppe, das sich unter dem Kennedymaterial in meinem Archiv befindet, wie der junge Mensch sich durch Härte und Kälte zu wappnen versucht: gegen die Tränen, die Mutter um den amerikanischen Präsidenten vergießt, und, versteht sich, die Tränen, die er selber vergießen könnte. Über die Hermeneutik des Verdachts – die sichtbare ist eine Scheinwelt – und über die Jugendpsychologie hinaus aber belegt der Text, wie unmittelbar der erschossene amerikanische Präsident auch der unsere war.

Angesichts von John F. Kennedy wurden wir alle erkennbar zu (imaginären) Amerikanern. Ob das mit ihm begann, weiß ich nicht zu sagen; es zeigt sich noch in der intensiven Abneigung, die der 43. Präsident der Vereinigten Staaten in Deutschland hervorruft. Wenn Hillary Clinton, frisch zum Präsidenten gewählt, einem Attentat zum Opfer fällt, wird uns dieselbe Erregungswelle wie bei Kennedy überrollen.

Mit Kennedy und mit seinem Tod berührte die amerikanische Geschichte nahtlos die BRD. So traten die Ermordung von Robert Kennedy und von Martin Luther King, die Rassenunruhen und der Vietnamkrieg direkt in unsere Geschichte ein. Alles Unglück Amerikas in den sechziger Jahren begann mit dem Kennedymord, und die westdeutsche Jugendrebellion folgte der amerikanischen, um es zu wenden.

Man kann versuchen, diese Nähe gleichsam vernünftig zu erklären. Während des Kalten Krieges mußte die Bundesrepublik schon aus Gründen der Selbsterhaltung sich stark für den amerikanischen Präsidenten interessieren. Nach dem Kalten Krieg verdient er das Interesse als mächtigster Mann der Welt, wie die Leitartikelformel lautet, weil wir alle von ihm abhängen.

Die vernünftige Erklärung leuchtet ein. Doch tritt zu ihr die besondere Hitze und Intensität hinzu, wie sie die

Imagination ausstrahlt. Der amerikanische Präsident ist eine Zentralgestalt des deutschen Phantasierens, und John F. Kennedy macht das immer noch manifest. Er ist der wahre König von Westdeutschland und Westberlin gewesen.

Welt-Stadt-Malerei

Es paßte, daß unter den Spielfilmen, die man in dem postkartengroßen Bildschirm abrufen konnte, den die Rückenlehne des Vordermanns dem Flugpassagier entgegenhält, diesmal *Die Invasion der Barbaren* sich befand, die Fortsetzung des kanadischen Films über den Untergang des amerikanischen Imperiums, der damals, beim allerersten, fast widerwilligen Besuch in der Neuen Welt die deutschen expatriates so begeistert hatte (als ob sie sich danach sehnten, endlich das ziellose Rumficken ebenso wie die cuisine aufzugeben und ihr Leben hohen Zielen zu weihen, die, das war die Botschaft, das Imperium seinen Bewohnern nicht mehr vorschreibe, weshalb sie in Hedonismus versinken).

Der postkartengroße Bildschirm offeriert mehrere Spielfilme (neben anderen Programmen). Der Passagier kann auswählen, während früher das ganze Flugzeug mit demselben Film versorgt wurde. Und das nach dem Essen; während man jetzt schon kurz nach dem Start einsteigen und schon beim Essen Kino gucken kann, »die Fortschritte der Individualisierung«.

(Dafür gab's wieder dasselbe zu essen wie letztens auf dem Flug nach Chicago. Prosciutto au melon. Sauté de bœuf au paprika. Riz pilaf. Fromage. Yaourt. Gâteaux aux pommes à la cannelle. Die französische Fluglinie; deshalb keine Gelegenheit für den Amerikafeind, sich über die Fortschritte der Standardisierung – typisch für die USA – zu beklagen. Auf allen Transatlantikflügen reichen sie stets dieselbe Speisefolge. Beklagt hätte sich der junge Baader über die Einschränkungen beim Alkoholausschank. Als Aperitif ein Schlückchen Champagner; zum Mahl Bier oder Wein, danach Tee oder Kaffee. Dann nur noch Saft oder Cola oder Wasser, mit denen man sich in den Quergängen selbst versorgt. Damals ließ sich der junge Baader von der Stewardess einen Whisky nach dem anderen servieren und schlief endlich blau an deiner Schulter ein; das strohige Gefühl seiner gefärbten Haarsträhnen an deinem Hals.)

Also, die Invasion der Barbaren. Seit dem 11. September 2001 ist sie unübersehbar, die Flugzeug-Attacken auf das Pentagon in Washington und die Twin Towers in New York. Der Zerfall des Imperiums schreitet also gesetzmäßig fort (nach dem Vorbild des antiken Rom, wie es den kanadischen Geschichtslehrern vor Augen steht). Daß der amerikanische Präsident den Kampf gegen den Terrorismus zu einem jener hohen Ziele ausrief, welche sie in Monn-Triol die ganze Zeit vermißten, das kam in dieser Community nicht an (so wenig wie bei der entsprechenden Community in Paris oder Berlin oder Rom).

In der Hauptsache geht es um Rémy, seinerzeit (wie der junge Baader befand) der ekligste der Hedonisten, der den Vogel abschoß beim Rumficken (und dem man mit dem stärksten Widerwillen dabei zuschauen mochte). Rémy erkrankt an Krebs und muß den Geschichtsunterricht aufgeben. Die Chemotherapie verpaßt ihm den bekannten kahlen Schädel (man erkennt aber deutlich, daß er bloß rasiert ist). Es mißlingt dem Krebs, Rémy angemessen auszuzehren, als er stirbt, ist er so fett wie eh und je.

Wahrhaft spätrömisch inszeniert Rémy seinen Tod (wie gleich nach der Ankunft in das Notizheft geschrieben wurde, am Tresen einer lärmigen Bar, während vier TV-Geräte den Trinkenden Football zeigten). Sein tief im kapitalistischen Geldverdienen engagierter und deshalb entfremdeter Sohn besorgt einen hübschen jungen Junkie, der Rémy mit Heroin versorgt, um die Schmerzen zu lindern; und schließlich den goldenen Schuß versetzt. Das dauert mehrere Spritzen; eine nach der anderen entleert die junge Frau in die Leitung, die Rémy mit seinem Tropf verbindet: sonst gäbe es ja nichts zu sehen. Die Sterbeszene ereignet sich geschmackvoll draußen vor dem Haus am See, wo einst die Festessen stattfanden, und drinnen schaut die alte Corona zu, diskret in Tränen gebadet (die Frauen mehr, die Männer weniger), »also summa summarum ein echter Franzosenscheiß« (gewiß dämpfte es die Überzeugungskraft der Geschichte erheblich, daß sie im Postkartenformat abrollte).

Zwar kommen wieder mal die Fernsehbilder von den beiden Flugzeugen vor, wie sie nacheinander in die New Yorker Hochhäuser schlagen, aber die kanadischen Akademiker und Kulturkritiker verfolgen die These nur noch nachlässig. Im Altern läßt die Freude am Rumficken halt nach, und so verliert es seine geschichtsphilosophische Beweiskraft (die schwindenden Bindungskräfte des Imperiums aufzuzeigen). Was belegt Rémys Tod? Daß man ihn von dienstbaren Geistern herbeiführen lassen kann, statt ihm hilflos entgegenzuleiden. Dazu braucht man Geld und den Glauben, daß der Selbstmord in keinem Jenseits eine Strafe nach sich zieht, vielmehr einen Akt der Selbstbestimmung darstellt, der die Achtung der Weiterlebenden verdient. So dachte man auch in Rom – im amerikanischen Imperium dagegen denkt man so erst selten. Protestiert Rémy mit seinem assistierten Selbstmord gegen diesen Rückstand, will er dem amerikanischen Imperium anzeigen, daß sein römisches Vorbild noch unerreicht ist? Nein, so verwirren wir uns.

Ein gerader Weg aus dem Film führt zum jungen Baader (der das jetzt nicht mehr ist); mit dem seinerzeit der allererste Besuch in New York City unternommen wurde und der sich damals besonders einleuchtend als imaginärer Bewohner der Stadt inszenierte, »die Hauptstadt des 20. Jahrhunderts«, lange bevor er sie gesehen hatte, nach den Vorgaben der ästhetischen und theoretischen Avantgarde (wie er sie in New York vermutete).

Dort verschwand der junge Baader in den Achtzigern. Nachdem das Stipendium für performative Texttheorie abgelaufen war, verzichtete er auf die Rückkehr nach Deutschland. Er schlug sich durch, wie man sagt, er trat aus dem Zustand des imaginären in den des wirklichen Amerikaners über, und das, statt im Feld der Kunst oder der Theorie, richtig im Geschäftsleben (das, wie es heißt, den Amerikanern ohnedies als höchstes Gut gilt). Der junge Baader engagierte sich in Börsendingen und wurde richtig reich. Und jeder Kontakt brach ab. Keine Telefonnummer in dem Notizheft, über die sich für die nächsten Tage ein Treffen verabreden ließe.

Ich sei doch, fragt der alte Literaturprofessor, seinerzeit mit dem jungen Baader eng befreundet gewesen? (Während der Fünfziger war der Literaturprofessor in der Bundesrepublik ein vielversprechender Lyriker, Titel wie *Veränderungen auf eine Briefstelle* und *Stille im trockenen Dorn*).

Ja, wir waren befreundet.

Er habe ja 1983 eines der Stipendien hier im Haus genossen, »aber viel haben wir natürlich nicht von ihm gesehen. Er lief herum wie ein aufgeklapptes Messer.«

Ein Haus in der Bleecker Street, downtown, wie wir New Yorker sagen, ein Bau aus den sechziger Jahren, hoch genug, damit man aus den oberen Etagen den Anblick Manhattans als Das Erhabene genießen kann. Der alte Literaturprofessor erzählt, wie der junge Baader die Wohnung in kurzer Zeit umarbeitete: mittels unzähliger Zeitungen, die gestapelt oder ausgefaltet auf dem Boden lagen, in einer strengen, aber einzig für den jungen Baader erkennbaren Ordnung. Sie scheinen ihn alle geliebt und darunter gelitten zu haben, daß sie ihm nicht näherkamen. Und das ist ganz unvergeßlich.

Einmal, erzählt der alte Literaturprofessor, fuhr er mit dem düsteren jungen Baader im Auto raus aufs Land. Sie kamen an einer Kirche vorbei, wo kleine Jungs anboten, für wenig Geld die Autos der Vorüberfahrenden zu waschen. Der Anblick der arbeitenden Jungs, so der alte Literaturprofessor, machte den jungen Baader glücklich, für einen Augenblick öffnete er seinen Panzer: Ob der Literaturprofessor vielleicht sein Auto … »Keinesfalls konnte ich nein sagen.« Es war eine Liebesgabe.

Ja, darin schwelgt der Reisende als imaginärer New Yorker, en passant die Straßennamen verwenden, als wären sie ihm kraft jahrelanger Gewohnheit vertraut. Bleecker Street. Mercer Street. Greene Street. Bei diesem Aufenthalt wohnte R. im Peter Cooper Village, an der 1. Avenue, zwischen der 20. und der 23. Street, eine massige Ansammlung roter Kästen (mit grün gestrichenen Fensterrahmen), die, wie Professor Renell erzählte (dem das Appartement gehört), nach 1945 für Veteranen gebaut wurden und als Vorbild für modernen Städtebau galten (ah! sagt irgendwer, das kenne ich; eine Freundin wohnt genau gegenüber).

Also, New York als Quellort der Avantgarde, hier ging der junge Baader von der Kunst zur Börse über, zum Kapitalismus als Risikospiel (und verschwand). Es ist oft beschrieben worden, wie nach 1945 New York an die Stelle von Paris trat (womöglich wünschen auch deshalb die französischen Geschichtslehrer in Montréal dem Imperium den Untergang, aus Rache). Diese Entwicklung reichte insofern in das mitteldeutsche Mittelgebirge hinein, als seit den Fünfzigern Kassel eine internationale Kunstausstellung ausrichtete, documenta, und hier bekam der junge R. auch die jüngste Kunst New Yorks zu sehen. Statt sie auf eine Staffelei zu stellen, legt der Maler die Leinwand auf den Fußboden; statt mit dem Pinsel malt er mit einer Blechdose, die unten ein Loch hat: Ohne abzusetzen, tanzt er über die riesige Fläche, von der ihm die ganze angespannte Zeit lang kein Quadratzentimeter entgeht. Eine Allegorie der Freiheit, die sich selbst kontrolliert. Eine Allegorie der amerikanischen Aufmerksamkeit,

»Das ist eine Täuschung. Zwar stellt sich Stadt so dar, daß man aus ihren armseligen Vorstädten immer das Zentrum erblickt, wo die erhabenen Turmhäuser Macht und Reichtum verkörpern; so daß schon die Form der Stadt dem Bürger vorschreibt, wonach er idealerweise strebt.
Aber die Turmhäuser sind gar keine Paläste, in denen man ein königliches Leben führt. In der Regel beinhalten sie Büros, Arbeitsstätten und beschäftigen viele Bürger aus den armseligen Vorstädten als Putz- und Aushilfskräfte, so daß sie den ganzen Tag zu sehen bekommen, was hier abläuft.
Kein Leben in Macht und Reichtum. Die spurlos verschwendete Existenz der Angestellten, spurlos verschwendet! An Bildschirme, Konferenzen, Intrigen, Geschwätz, Pausen. Da weiß die Putzkraft, was durch ihre Hände ging, und die Aufsicht genießt die Leere dieser Räume in der Nacht und den Überblick, der den CEOs jeden Tag verlorengeht.«
Wer spricht? Eine Theaterfrau aus der ehemaligen DDR, die einen Dia-Vortrag probt, den sie in verschiedenen Literaturhäusern der Bundesrepublik über ihre Reisen in den USA zu präsentieren beabsichtigt.

wie sie nach dem Krieg die Weltkarte kontrolliert. Es fiel leicht, in Kassel angesichts dieser Malerei zum Amerikaner zu werden (in den Kinos von Kassel verzehrte R. als Kind seine erste Portion Hollywoodfilm – eben führte man das neue Großformat ein, Cinema Scope; aber da war jener Maler schon mit seinen Monumentalbildern der Freiheit fertig und brachte nichts mehr zustande – was natürlich keinen Betrachter hindert, sie als Malerei in Cinema Scope zu bewundern).

Es trifft sich, daß R. bei diesem jüngsten Aufenthalt in New York den jüngsten Roman von John Updike las und daß dieser Roman von jenem Maler handelt, Zack McCoy. Abend für Abend las R. darin, im Peter Cooper Village, vor dem Einschlafen, draußen die beruhigend diffusen Geräusche der großen Stadt, wir sind alle noch da. Viele Jahre nach seinem Tod besucht eine junge Kunstkritikerin die alte Hope McCoy, selber eine ruhmbedeckte Malerin, und fragt sie einen ganzen Tag lang aus, keine Kapitelaufteilung, nicht einmal Leerzeilen. (Lee Krasner hieß außerhalb des Buchs die Ehefrau von Zack McCoy, Jackson Pollock; dessen Vater, LeRoy McCoy, war im Alter von zwei Jahren von einem Ehepaar Pollock adoptiert worden.)

Die Leinwand auf dem Boden, aber immer noch auf menschliches Maß zugeschnitten, einsachtzig mal einsvierzig oder so, bevor er mit Zahlen betitelte. Vor einer Ausstellung pflegte er mich in den Schuppen zu bestellen, damit ich ihm bei der Taufe helfe. Das taten wir gemeinsam, eine der wenigen Gelegenheiten zur Zusammenarbeit. Er benutzte am Anfang vor allem Aluminiumfarbe, das gab ihnen so etwas Luftiges, Wirbliges, und so schlug ich Namen aus einem Buch über Sterne vor, das Zack gekauft hatte, als wir raus nach Long Island zogen und er die Sterne so sehen konnte, wie er sie drüben im Westen gesehen hatte. Sirius nannten wir ein besonders kalt blinkendes Bild, ein rötliches Beteigeuze, ein anderes wollte ich Kassiopeia nennen, denn ich erinnerte mich, daß sie damit prahlte, wie schön ihre Tochter Andromeda sei – oder vielleicht auch sie selbst –, aber Zack wollte nicht, daß die Leute in den Flekken nach Sternbildern suchten, so nahmen wir allgemeinere Ausdrücke wie Galaxie oder Komet – und das hatte wirklich mit Kometen zu tun, seine Spritzer waren gradliniger als in den Fünfzigern, als er zu diesen Zeichnungen in der Luft überging, wie er es nannte, die dieser Deutsche, dessen Namen ich regelmäßig vergesse, fotografiert hat.

Nicht bloß die Weltkarte, höhnt die Amerikafeindin, sondern gleich der Sternenhimmel, das nenne ich mir imperialistischen Realismus. Die Freude, sage ich, die in den Fünfzigern ein Jüngling im mitteldeutschen Mittelgebirge angesichts solcher entgrenzten Malerei lernen konnte, es ist gewiß dieselbe Freude, die in der wahrhaft großen, schon fast gestaltlosen Großstadt aufkommt (während die kleine Fachwerkstadt ebenso niedlich wie eng ist).

Das hatten wir nun schon öfter, wie das Lesen amerikanischer Romane die Existenzweise des imaginären Amerikaners befördert; und John Updike hat seinen festen Platz in diesem inneren Pantheon: Es gibt Literaturkritiker in der Bundesrepublik, die ihn in der wahren Nachfolge Thomas Manns sehen …

Wußten Sie übrigens, unterbricht die Amerikafeindin, daß die CIA mit der Malerei Ihres Jackson Pollock und seiner Kombattanten antisowjetische Propaganda gemacht, Ausstellungen organisiert hat, die diese Kunst als Ausdruck von Freiheit, Abenteuer und Amerika präsentierten? Vermutlich gab's einen CIA-Zuschuß zu Ihrer documenta in Kassel …

Es könnte in der Metro nach Queens sein, wo die Amerikafeindin ihren Hohn bekundet. Wieder ein kalter, aber sonniger Tag, diesmal im November; nur noch wenige Seiten Arbeit an diesem Buch hier. Nach Queens – abenteuerliche Ansichten aufgelassener Industrieanlagen, durch die die Hochbahn gleitet – nach Queens muß fahren, wer das Schatzhaus jener modernen Kunst, die nach 1945 die entsprechende westdeutsche Community überwältigte, wenigstens im verkleinerten Maßstab aufsuchen möchte, in einer dieser Fabrik- oder Lagerhallen, 33. Street, gleich nach dem Abzweig vom Queens Boulevard: das MoMA, wie die Eingeweihten sagen, das Museum of Modern Art, dessen Stammsitz in der 53. Street eben umgebaut und erweitert wird. Immer wieder kam man bei Besuchen in der Stadt darauf zurück, fand sich, wie zufällig, dort wieder, in den Ausstellungen wie in der Cafeteria wie im Buchladen – allein die vielen schönen Fotobücher, und dann auch noch zu ermäßigten Preisen! Aber vor allem muß sich die Anhänglichkeit an das

MoMA von Kassel und der documenta herleiten. Jetzt war man endlich beim Original, das vom Museum Fredericianum und der Orangerie, für den Ausstellungszweck roh reparierte Kriegsruinen, zeitweise reproduziert wurde.

Die documenta zeigte nicht ausschließlich amerikanische Kunst; ebensowenig das MoMA. Paul Klee, Zwitschermaschine; Pablo Picasso, Demoiselles d'Avignon – »ach, hier hängt das also!« In die USA – konnte man der Amerikafeindin auf dem Weg ins MoMa Queens erklären – emigrierten, neben den wahrhaft bedeutenden Wissenschaftlern und den wahrhaft bedeutenden Schriftstellern, die wahrhaft bedeutenden Kunstwerke aus Europa. Kunstwerke, die der Führer für entartet hielt und deren Anblick die Deutschen so vergiften könnte wie der Geschlechtsverkehr mit weiblichen und männlichen Menschen jüdischen Bluts (was auch immer das sei – der Führer wußte es jedenfalls genau).

In der Umgebung dieser Kunst befand man sich also in bester Gesellschaft; und, insofern die Amerikaner sie im MoMA versammelten, also wieder in amerikanischer Gesellschaft. Is doch prima, könnte man wurschtig der Amerikafeindin erklären, während die Hochbahn-Station Court House Square in dem Sonnenschein Manhattan eine extreme Zurschaustellung jenseits des East River ermöglicht, ist doch egal, wenn die CIA das als antisowjetische Propaganda benutzte, ich kenne eine alte Dame, die, es muß 1947 gewesen sein, im Trümmerberlin als junge Frau eine solche Ausstellung neuester amerikanischer Kunst besucht hat und ganz verwirrt und bezaubert war von der neuen Welt, die sich hier zeigte. Da stanken der Genosse Stalin und seine Genossen, prächtig in Essig und Öl gemalt, doch mächtig gegen ab. Es klärte sich schon dort, zu welchem Teil der Welt Westberlin und Westdeutschland zukünftig gehören wollten.

Wie sollen wir uns diese Amerikafeindin vorstellen? Wieder ostig, wie D., die Theaterfrau, Studentin an einer der amerikanischen Universitäten, bei einem dieser orthodoxen Marxisten, die sich gerade an amerikanischen Universitäten so verläßlich finden? (Und die die Malerei von Jackson Pollock und den Seinen stets für ein kapitalistisches Blendwerk hielten, das zu solchem Weltruhm nur gelangte, weil massiv politische und ökonomische Macht eingesetzt ward.)

Ach nein, es handelt sich um eine Amerikanerin, eine dünne und lange Person mit roten Locken, die einen dieser Berufe zwischen Ethik und Ökonomie ausübt, unter dem sich der Deutsche so wenig vorstellen kann. Sie ist ein gut gefülltes Reservoir an äußerst kritischen Einwänden gegen die USA, diese Amerikanerin, und es macht wenig, ob eine demokratische oder eine republikanische Administration die Maßnahmen zu verantworten hat (als Wählerin ist Rachel immer mit den Demokraten). Aber es entwürdigt die Kunst von Jackson Pollock, bekräftigt sie, wenn man damit politische Propaganda macht; so sind wir nun mal in Amerika, wir verweigern unseren Künstlern den Respekt, den sie in Europa so selbstverständlich genießen. (»Sie sollten in Europa Kurse in Antiamerikanismus abhalten; von Ihnen können wir alle noch was lernen.«)

Rachel lebt übrigens in Queens (die Mieten sind so unvergleichlich viel niedriger als in Manhattan). Sie könnte eine ausgiebige Führung durch diese Niemandsbucht veranstalten (»das schaut hier so nach Krimi, nach Verbrechen aus«), aber es geht ja um die im MoMA versammelte Kunst, die nach 1945 zu den fruchtbarsten Lehrmitteln der Amerikanisierung rechnete (auch wenn sie gar nicht in Amerika verfertigt worden war). So verlassen wir die Hochbahn und streben zur 33. Street; ein französisches Paar fragt nach dem Weg, und Rachel zeigt auf die vielen Hinweistafeln, unübersehbar (»so ist das aber nicht, daß die primitiven Amerikaner ihre Kunst verstecken«).

Neben der Kasse steht eine hübsche Dame und fragt, wie es um eine Mitgliedschaft stünde? Rachel erklärt, daß der Gast aus Europa kommt und so oft New York nicht aufsucht – aber dann, fährt die hübsche Dame freundlich fort (immer herrscht hier diese dichte Freundlichkeit), könne man vielleicht trotzdem diesen Fragebogen ausfüllen, Wünsche des Publikums an das künftige MoMA, das halbiert den Eintrittspreis. Und so erfindet man dankbar ideale Öffnungszeiten und Preise und Serviceleistungen für den Neubau an der 53. Street. Wie die Schulkinder sitzen die Besucher um den Tisch herum und erledigen ihre schriftlichen Aufgaben.

Es klappt nicht mit dem MoMA im Exil. Keine Gelegenheit, vor den Demoiselles d'Avignon oder der Zwitschermaschine oder One: Number 31, 1950 zu stehen und Rachel zu erzählen, wie so etwas damals das mitteldeutsche Mittelgebirge verwandelte. Zwar zeigt man im Exil ein paar Prachtstücke der Sammlung, doch diese sind nicht darunter. Und die neuen Exponate lassen, versteht sich, die Nostalgie unerweckt; sie konnten damals unmöglich mit von der Partie sein. Viel Videoprojektion; und Faltblätter, die man aus Wandgestellen mitnehmen kann.

Wenn der moderne Tourismus Netzwerke bildet, die das Terrain klar umrissener Kulturen und Nationen überschreiten, dann stellt sich die Frage, wie man heute den gewohnten binären Code von Gast und Gastgeber, Einheimischer und Fremder neu definieren kann. *The Tourist*, eine Arbeit des in Taiwan geborenen Künstlers Lee Mingwei für die Projekte-Reihe des Museum of Modern Art, elaboriert den Gedanken, daß es sich beim Tourismus um eine radikale Form von Kosmopolitismus handelt. Die Teilnehmer haben als Fremdenführer den Künstler zu solchen Orten in New York geleitet, die für sie mit persönlicher Bedeutung gefüllt sind, ein Unternehmen, das weniger mit Entdeckung zu tun hat, vielmehr werden hier Identität und Alterität neu ausgehandelt. Anders gesagt, dies Unterfangen ist, um eine Formulierung des Philosophen Jean-Luc Nancy zu gebrauchen, »keine Erfahrung, die wir machen, sondern eine, die uns macht«. Eine Bildungserfahrung, die an Bilder, Ideen, Mythen und Storys geknüpft ist, die von anderswoher kommen. Es ist eine Erfahrung, die geteilt sein will. Wie Dean MacCannell in seiner klassischen Studie *The Tourist: A New Theory of the Leisure Class* bemerkt: die Nötigung des Reisenden, »du mußt dies gesehen haben«, »du

> mußt dies geschmeckt haben«, »du mußt dies erlebt haben«, »schafft die Grundlage einer allgemeinen Solidarität«. Diese Solidarität setzt die Fähigkeit voraus, Identität zu reformulieren, indem man zur selben Zeit Verbindungen mit mehr als einem Ort aufrechterhält. In diesem Sinne schaffen Touristen und Einheimische einen neuen Typus von Community, der nicht auf nationaler Exklusion beruht, sondern kosmopolitisch ist.

Wenn die sich bloß weniger geschwollen ausdrücken könnten, moniert Rachel, dann wüßten wir gleich, daß Sie die ganze Zeit mit so etwas befaßt sind. Nun konnten Sie zwar nicht in Pollock schwelgen, aber dafür sind Sie, wie sich zeigt, seit langem Projektmitarbeiter des MoMA. Sie eröffnen eine Filiale in Berlin?

Man sitzt in der Cafeteria. Die hübsche Dame vom Anfang kommt vorbei – die mit der Umfrage – und mustert das Sandwich, das gleich verzehrt werden will, das schaue gut aus. Wurde auch Zeit; die boten immer nur solche vertrockneten Pasteten an, wie aus der Krypta von Saint Martin's in the Fields, ja, Pasteten aus der Krypta von Saint Martin's in the Fields. Das Mädchen hinter dem Tresen, eine Latina, bei der Sandwich und Kaffee erworben worden waren, hatte erzählt, ihr Vater sei lange als Soldat in Deutschland stationiert gewesen (auf so etwas kommt man immer gleich). Er sprach gut Deutsch; sie konnte ein bißchen. Inzwischen leider vergessen (sie schaut süß aus beim Lächeln). Was heißt How are you? Und was antwortet man? Gehört hierher auch die Szene von einem der nächsten Abende? Vor einem Lokal in der 3. Avenue, Peter's Place, »schaut aus wie der Kreuzberger Sperrmüllstil der Siebziger«; man wird beim Studium der ausgehängten Speisekarte von einem kleinen, dunklen Herrn angesprochen (einem Inder aus Bombay, wie sich später herausstellte): Ob dies tatsächlich eines der ältesten Restaurants von Manhattan sei?

Man muß zu verstehen geben, daß man kein Einheimischer ist, und so betritt man gemeinsam das Kreuzberger Lokal in Manhattan. Der kleine indische Herr erkundigt sich bei einem der Kellner, alter Mann mit wild aufgeschäumtem Resthaar, ja, stimmt, das Lokal ward 1846 gegründet. Man ißt ein Pastrami-Sandwich respektive eine gegrillte Hühnerbrust und trinkt Bier (leider seien die amerikanischen Mahlzeiten immer so riesig, klagt der kleine indische Herr und zeigt resigniert auf die Hälfte der Hühnerbrust, die er liegen lassen müsse). Ein Geschäftsmann, Schmuckwaren, der hier in Manhattan Abschlüsse tätigte, und sein Partner empfahl ihm für das Dinner das Kreuzberger Lokal. Artig schreibt er zum Abschied seinen Namen und seine Adresse in das Notizheft: »P. S.Oze. B – 101 Prakash Nagar. Mogul Lane. Mahim, Mumbai. 400026. India.«

Nein, das schaut gar nicht nach der Invasion der Barbaren aus. Ein Herr aus Indien genießt einen Abend in Manhattan, als Gast, als Gastgeber. Rémy, der kanadische Geschichtslehrer, gebraucht eine der Formeln, mit denen sich Sterbende Trost zusprechen, ich nehm' euch alle mit. Besser soll es laufen, wenn man denken kann, ich muß jetzt gehen, aber ihr bleibt ja noch hier.

Besatzerflagge! Der junge Z. studiert Kommunikationshistorie und hat das Wort noch nie gehört. Der Großvater, der es ihm hätte stecken können, starb vor der Zeit, in der Z. sich für solche Worte zu interessieren begann, durch Zerebralsklerose ganz sprachlos gemacht.

Ein Jahr lang studierte Z. in den USA, weil dort, versteht sich, die Koryphäen sitzen. Er fühlte sich wohl dort, wie man sagt; niemand ließ ihn spüren, daß er Ausländer sei – gern phantasierte Z., er bleibe in den Staaten, wo eine traumhafte Karriere als Kommunikationshistoriker ihn erwarte. Er wird sein Studium in der BRD abschließen, aber unterdessen pflegt er eifrig, wie es sich gehört, seine Kontakte nach drüben, die ihm einmal nützlich sein könnten (er pflegt sie selbstlos, denn sonst funktioniert das nicht).

Aber als er jetzt von einem Seminar in Stanford zurückkehrte, war er enttäuscht und empört. Diese Ausbrüche von Patriotismus! Sogar in San Francisco, sogar bei den Schwulen! Überall liest man die Sprüche, überall flattern die Stars and Stripes. »Sie tun so, als ob die USA bloß den Amerikanern gehörten«, schimpft der junge Z., »dabei gehören sie doch uns allen.«

An einem anderen strahlenden Novembertag geht man mit Rachel ins Guggenheim Museum, noch so ein sagenhafter Ort. Die Retrospektive irgendeines Pop-Artisten, wie sie in den Sechzigern in Mode kamen, indem sie den Heroismus von Jackson Pollock – der ihn in den Tod führte, als es nichts mehr zu malen gab – durch Scherz und Ironie ersetzten, lustige Bilder mit monumentalen Spaghetti und Frauenköpfen und Autoteilen. Vor allem aber wird Rachel erzählt, wie der spiralförmige Aufgang des Guggenheim, der an den Exponaten vorbeiführt, dem Aufgang in der Glaskuppel ähnelt, die den Reichstag in Berlin krönt. Nur daß es hier, dank dem Glas, Ansichten der Stadt B. sind – statt der Museumsexponate –, die der Besucher, der Spirale nach oben folgend, zu sehen bekommt.

John Updike, wird Rachel erzählt, verheiratet Hope McCoy nach dem Untergang von Zack mit einem solchen Pop-Artisten. Der Existentialismus, der jeden Pinselstrich, jede malerische Geste zu einem Akt des Überlebens im Ernstfall machte, starb ab, indem die Nachkriegszeit zu Ende ging.

Apropos. Hier im Guggenheim, erzähle ich Rachel, sei ich bei einem früheren Besuch mal auf niemand anderen als John Updike getroffen. Ja, John Updike stand herum und beobachtete freundlich die Leute, die sich an einer Ausstellung deutscher Expressionisten delektierten, sie wisse schon, wildes Zeug in grellen Farben, aber erkennbar Männer und Frauen, Häuser und Tiere und Landschaften.

Und? fragt Rachel ironisch-streng, sind Sie auf den

Meister zugetreten? Haben sich als hemmungsloser Bewunderer aus Deutschland vorgestellt, der alle seine Romane gelesen hat und gierig jeden neuen erwartet? Haben Sie ihn auf einen Drink eingeladen?

Aber nein, natürlich nicht.

Das hätten Sie aber tun sollen! Das macht man so in Amerika. Er hätte sich gefreut.

Aber warum mit Updike trinken? Lesen ist doch schön genug.

Nachweise

S. 10 f. Walt Whitman: *Grashalme*. In Auswahl neu übertragen von Elisabeth Serelmann-Küchler und Walter Küchler. Erlangen: Dipax 1947, S. 13.
S. 23 Philip Roth: *Tatsachen. Autobiographie eines Schriftstellers.* Übersetzt von Jörg Trobitius. München: Hanser 1991, S. 103f.
S. 28 f. Franz Xaver Kroetz: Stern 47/15. 11. 2001.
S. 32 Daniela Dahn: Süddeutsche Zeitung 238/ 16. 10. 2001.
S. 37 Eldridge Cleaver: *Seele auf Eis*. Übersetzt von Céline und Heiner Bastian. München: Hanser 1969, S. 228.
S. 57 f. John Updike: *Unter dem Astronautenmond*. Übersetzt von Kai Molvig. Reinbek: Rowohlt 1978, S. 125 f.
S. 100 f. William Faulkner: *Light in August*. Harmondsworth: Penguin Books 1974, S. 349. Übersetzt von Michael Rutschky.
S. 110 f. Truman Capote: *Andere Stimmen, andere Stuben*. Übersetzt von Elisabeth Pohr. Wien: Paul Zsolnay 1950, S. 219f.
S. 114 f. William Goyen: *Haus aus Hauch*. Übersetzt von Ernst Robert Curtius. München: Nymphenburger Verlagshandlung 1952, S. 69.
S. 129 f. Sherwood Anderson: *Winesburg, Ohio und andere*

Erzählungen. Übersetzt von Hans Erich Nossack, Karl Labs und Helene Heinze. Olten und Freiburg i. Br.: Walter 1963, S. 419f.

S. 147f. Peter Handke: *Der kurze Brief zum langen Abschied.* Frankfurt/M.: Suhrkamp 1972, S. 194f.

S. 166f. Thomas Wolfe: *Schau heimwärts, Engel!* Übersetzt von Hans Schiebelhuth. Reinbek: Rowohlt 1954, S. 67.

S. 181ff. Flugblatt der Gruppe Subversive Aktion. München, Berlin, Nürnberg: Dezember 1963 (leicht redigiert).

S. 193f. John Updike: *Seek My Face.* New York: Ballantine Books 2003, S. 103. Übersetzt von Michael Rutschky.

S. 199f. Projects 80. Lee Mingwei: *The Tourist.* The Museum of Modern Art 2003.

Ullstein Verlag
Ullstein ist ein Verlag der Ullstein Buchverlage GmbH
ISBN 3-550-07586-3

Printed in Germany
Satz und Lithos: LVD GmbH, Berlin
Druck und Bindung: GGP Media GmbH, Pößneck